Michael Kappes/
Eberhard Spiecker (Hrsg.)

Christliche Kirchen feiern die Taufe

Christliche Kirchen feiern die Taufe

Eine vergleichende Darstellung

Herausgegeben von Michael Kappes und Eberhard Spiecker

Verlag Butzon & Bercker Kevelaer
Luther-Verlag Bielefeld

Umschlagabbildung:
Bronzetaufbecken, um 1345,
Taufkapelle unter dem Südturm des Westwerks
im Dom zu Münster
Foto: Rudolf Wakonigg, Münster

Bibliografische Information der Deutschen Bibliothek

Die Deutsche Bibliothek verzeichnet diese Publikation
in der Deutschen Nationalbibliografie;
detaillierte bibliografische Daten sind im Internet
über http://dnb.ddb.de abrufbar.

ISBN 3-7666-0536-4 Butzon & Bercker
ISBN 3-7858-0477-6 Luther-Verlag

Umschlaggestaltung: Elisabeth von der Heiden, Geldern
Satz: SatzWeise, Föhren
Druck und Bindung: Koninklijke Wöhrmann B. V., Zutphen (NL)

Inhaltsverzeichnis

Vorwort der Herausgeber

Die Arbeitsgemeinschaft Christlicher Kirchen in Nordrhein-Westfalen (ACK-NRW) legt mit der Synopse zur Theologie und Liturgie der Taufe in ihren Mitgliedskirchen den Folgeband vor zur Synopse „Christliche Kirchen feiern das Abendmahl. Eine vergleichende Darstellung" (Kevelaer 1993), die der damalige Vorsitzende der ACK-NRW, Superintendent Norbert Beer, herausgegeben hat.

Unser Dank gilt zunächst allen Mitgliedskirchen, die bereit waren, an der vorliegenden Studie mitzuwirken. Der Studie liegt ein Fragebogen zugrunde, der von einer Kommission aus Vertretern unserer Mitgliedskirchen erarbeitet wurde. Dafür sei hier besonders Herrn Erzpriester Constantin Miron, Brühl, Herrn Pastor i.R. Heinz Szobries, Hagen und Herrn Landeskirchenrat Helmut Weide, Bielefeld gedankt. Die Federführung für die Erstellung der vorliegenden Taufsynopse lag in der Hand von Dr. Michael Hardt vom Johann-Adam-Möhler-Institut, Paderborn. Ihm sei für seine Arbeit und den langen Atem bei seinen Erinnerungsrufen herzlich gedankt. Dem Redaktionsausschuss (Pastor Bernd Densky, Erzpriester Peter Sonntag, Dr. Michael Kappes, Kirchenrätin Dr. Johanna Will-Armstrong), der die Mühen der Endredaktion auf sich genommen hat, gilt ebenso unser herzlicher Dank wie Frau Regina Hasse vom Johann-Adam-Möhler-Institut und Frau Birgit Büscher von der Fachstelle Ökumene im Bischöflichen Generalvikariat in Münster für die geleisteten umfangreichen Schreibarbeiten.

Wir wünschen der Taufsynopse eine interessierte Aufmerksamkeit und den Lesern und Leserinnen hilfreiche Erkenntnisse über die Gemeinsamkeiten und Unterschiede im Taufverständnis.

Düsseldorf, im Juli 2003	Eberhard Spiecker Vorsitzender der ACK-NRW	Dr. Michael Kappes Stellv. Vorsitzender der ACK-NRW

Mitgliedskirchen der Arbeitsgemeinschaft Christlicher Kirchen in Nordrhein-Westfalen (ACK-NRW)

Römisch-Katholische Kirche
- Erzbistum Köln
- Erzbistum Paderborn
- Bistum Aachen
- Bistum Essen
- Bistum Münster

Evangelische Kirche
- Evangelische Kirche im Rheinland (uniert)
- Evangelische Kirche von Westfalen (uniert)
- Lippische Landeskirche (reformiert)

Orthodoxe Kirche
- Griechisch-Orthodoxe Kirche (Griechisch-Orthodoxe Metropolie von Deutschland und Exarchat von Zentral-Europa)
- Serbisch-Orthodoxe Kirche
- Russisch-Orthodoxe Kirche (Patriarchat Moskau)
- Russisch-Orthodoxe Kirche im Ausland
- Orthodoxes Erzbistum von Westeuropa (Ökumenisches Patriarchat)
- Ukrainisch-Orthodoxe Kirche (Ökumenisches Patriarchat)
- Griechisch-Orthodoxes Patriarchat von Antiochien
- Syrisch-Orthodoxe Kirche (Antiochien)
- Syrisch-Orthodoxe Kirche (Indien)

Äthiopisch-Orthodoxe Kirche in Deutschland

Armenische Kirche in Deutschland

Anglikanische Kirche

Alt-Katholische Kirche (Katholisches Bistum der Alt-Katholiken in Deutschland)

Lettische Evangelisch-lutherische Kirche

Evangelisch-methodistische Kirche

Herrnhuter Brüdergemeine

Selbstständige Evangelisch-Lutherische Kirche

Bund Evangelisch-Freikirchlicher Gemeinden (Baptisten) im Rheinland und in Westfalen

Vereinigung der Deutschen Mennonitengemeinden vertreten durch die Mennonitengemeinde Krefeld

Die Heilsarmee

Mit Gaststatus

Bund Freier evangelischer Gemeinden

Mülheimer Verband freikirchlich-evangelischer Gemeinden

Religiöse Gesellschaft der Freunde (Quäker)

Einleitung

Kaum ein ökumenisches Dokument hat einen solchen Bekanntheitsgrad erlangt wie die Konvergenzerklärungen „Taufe, Eucharistie und Amt", das so genannte „Lima-Dokument", der Kommission für Glauben und Kirchenverfassung des Ökumenischen Rats der Kirchen (= ÖRK) aus dem Jahr 1982. Es stellt die reife Frucht eines langjährigen ökumenischen Gesprächsprozesses über die Differenzen in diesen zentralen Glaubensfragen dar, um auf dem Weg wachsender Übereinstimmung im Glauben die Spaltung zwischen den christlichen Kirchen überwinden zu helfen.

Die Lima-Erklärung konstatiert – ungeachtet verbleibender Unterschiede in der Tauftheologie und vor allem Taufpraxis – für das gesamte Spektrum der an ihrer Erarbeitung beteiligten christlichen Konfessionen ein wachsendes Bewusstsein hinsichtlich der ökumenischen Bedeutung der einen Taufe: Durch die in der Taufe geschenkte Christusgemeinschaft wird zugleich eine tief greifende Gemeinschaft zwischen allen Christen, Kirchen und kirchlichen Gemeinschaften begründet. Aus dieser Grundeinsicht erwächst zunehmend die Bereitschaft zur gegenseitigen Anerkennung der Taufe. „Durch ihre eigene Taufe werden Christen in die Gemeinschaft mit Christus, miteinander und mit der Kirche aller Zeiten und Orte geführt. Unsere gemeinsame Taufe, die uns mit Christus im Glauben vereint, ist so ein grundlegendes Band der Einheit (Eph 4,3–6)."[1] Die Lima-Erklärung nennt die gegenseitige Anerkennung der Taufe „ein bedeutsames Zeichen und Mittel …, die in Christus gegebene Einheit in der Taufe zum Ausdruck zu bringen. Wo immer möglich, sollten die Kirchen die gegenseitige Anerkennung ausdrücklich erklären."[2]

Als Folge des II. Vatikanischen Konzils und seiner ökumenischen Würdigung der Taufe als „sakramentales Band der Einheit" (Ökumenismusdekret Nr. 22) ist es bereits seit Mitte der 60er Jahre des 20. Jahrhunderts zur gegenseitigen Anerkennung der Taufe zwischen der römisch-katholischen und der evangelischen Kirche gekommen, die dann in zahlreichen offiziellen Taufvereinbarungen zwischen evangelischen Landeskirchen und römisch-katholischen Diözesen in Deutschland ihren verbindlichen Ausdruck gefunden hat. Im Gebiet der ACK-NRW wurde zuletzt 1996 eine solche Vereinbarung zwischen der Evangelischen Kirche im Rheinland und den benachbarten katholischen Diözesen geschlossen.

Über die langjährigen multilateralen Dialogbemühungen der Kommission für Glauben und Kirchenverfassung des ÖRK in der Tauffrage hinaus gab

---

[1] Lima-Erklärung, Taufe, Nr. 6.
[2] Ebd. Nr. 15.

es seit den 70er Jahren des letzten Jahrhunderts einen intensiven bilateralen Dialog innerhalb der traditionellen Großkirchen, die die Säuglingstaufe als „Normalfall" praktizieren, und mit den Täufer-Kirchen, die die „Gläubigentaufe" aus der Sicht der Bibel als einzige legitime Taufe anerkennen.

Dabei hat das in den Schriften des Neuen Testamentes vorliegende dynamische Beziehungsgefüge von Glaube und Taufe die am Dialog beteiligten Kirchen befähigt, das eigene Taufverständnis kritisch zu überdenken.

So wurde in der pastoralen Praxis der römisch-katholischen Diözesen und der evangelischen Landeskirchen die Möglichkeit eines Taufaufschubes vorgesehen, wenn das Hineinwachsen der Kinder in den Glauben durch das Elternhaus offensichtlich nicht unterstützt wird. Man betont, dass die Säuglings- und Kindertaufe nur im Rahmen einer kirchlichen Gemeinschaft legitim ist, die den Glauben der noch nicht Entscheidungsfähigen trägt und fördert.

Bei den Täufer-Kirchen hingegen zeigte sich ein Konvergenzprozess im Hinblick auf die Taufe von Kindern, die nicht mehr generell abgelehnt wird. Dies hängt zusammen mit einer Neubewertung des „Bekehrungserlebnisses". Das Bekehrungserlebnis, das der Taufe vorausgehen soll, ergreift den Menschen nicht nur „punktuell", sondern auch „schrittweise". In diesem Verständnis des Bekehrungserlebnisses liegt eine Konvergenz zu der Vorstellung, das hinsichtlich der Glaubenserkenntnis die Begleitung von Elternhaus und Gemeinde Wachstum ermöglicht.

So scheint es, dass die Taufe zunehmend als grundlegendes Sakrament für die Einheit der Christen verstanden werden kann. Gleichwohl bedeutet die in der Taufe geschenkte Gemeinschaft aller Christen noch nicht die Verwirklichung voller Kirchengemeinschaft. Aber „unsere eine Taufe in Christus" ist „ein Ruf an die Kirchen, ihre Trennungen zu überwinden und ihre Gemeinschaft sichtbar zu manifestieren."[3]

Die weitgehende Anerkennung der Taufe, die zwischen der römisch-katholischen Kirche, der orthodoxen Kirche, den reformatorischen Kirchen und den Täufer-Kirchen üblich geworden ist, insofern die Taufe mit Wasser unter Anrufung des dreifaltigen Gottes gespendet wurde, lässt hoffen, dass sich die Kirchen zukünftig „jeglicher Praktiken enthalten wollen, die die sakramentale Integrität der anderen Kirchen in Frage stellen oder die die Unwiederholbarkeit des Taufsakramentes beeinträchtigen könnten."[4]

Die Taufe als Band der Einheit unter den christlichen Kirchen und Gemeinschaften bleibt somit Gabe, aber auch Aufgabe in der gemeinsamen Verkündigung und im gemeinsamen Leben der Reich Gottes Botschaft.[5]

---

[3] Ebd., Kommentar zu Nr. 6.
[4] Ebd., Kommentar zu Nr. 13.
[5] E. Geldbach, Taufe: Bensheimer Hefte 79 (Göttingen 1996); Th. Schneider, Zeichen der Nähe Gottes. Grundriss der Sakramententheologie (Mainz ⁴1984) 70–105; G. Wenz, Einführung in die evangelische Sakramentenlehre (Darmstadt 1988) 73–118.

Erster Teil

Übersicht über das Taufverständnis einzelner Mitgliedskirchen

1. Orthodoxe Kirche

„Bekehrt euch, und ein jeder von euch lasse sich taufen auf den Namen Jesu Christi zum Nachlass eurer Sünden, und empfangt die Gabe des Heiligen Geistes." (Apg 2,38) Die Antwort, die die Hörer des heiligen Petrus auf ihre Frage „Was sollen wir denn tun?" empfangen, zeigt den Weg, der von der Tilgung der vergangenen Sünde zur gegenwärtigen Gnade führt, die ihrerseits der zukünftigen Herrlichkeit des Reiches offen steht. Der Eintritt in die Kirche und das in ihr eröffnete Reich der Himmel geschieht durch den Tod und die zweite Geburt „aus dem Wasser und dem Geist" (Joh 3,5). Der Getaufte empfängt das Siegel, die „Sphragis", die Besiegelung im Heiligen Geist, das Zeichen der Zugehörigkeit zu dem Volk Gottes, das in Christus vereint ist und bereits in dem neuen Äon der Danksagung lebt. Die Wiedergeburt aus dem Wasser und dem Heiligen Geist bezeichnet die einzigartige Dreiheit der initiatio christiana, die wie in einer Garbe des Heils die drei Sakramente der Taufe, der Salbung und der Eucharistie umfasst. Im Sinn dieser Initiation paraphrasiert der heilige Nikolaos Kabasilas den berühmten Satz der Areopagrede des heiligen Apostels Paulus: „Denn in Ihm leben wir, bewegen wir uns und sind wir" (Apg 17,28):

„Denn diese Mysterien sind es, durch die wir in Ihm leben, uns bewegen und sind, wie Paulus sagt. Die heilige Taufe spendet das christusgemäße Sein und eigentliche Existieren. Sie nimmt nämlich Tote und Vernichtete auf und führt sie überhaupt erst ins Leben. Die Salbung mit Myron macht den so Geborenen vollkommen, indem sie ihm eine Wirkkraft eingibt, wie sie diesem Leben entspricht. Die heilige Eucharistie schließlich bewahrt und erhält dieses Leben und seine Gesundheit. Denn Bewahrung des Empfangenen und Vollendung des Lebenden – das bewirkt das Brot des Lebens. So **leben** wir also durch dieses Brot und **bewegen** uns kraft des Myron, nachdem wir aus dem Taufbad **das Sein** empfangen haben." (Nikolaos Kabasilas, Das Leben in Christus I,18.19)

Die Taufe ist die Wiedergeburt, jene totale Erneuerung des Menschseins, durch die es seine wahre Gestalt nach Gottes Bild empfängt. Die Taufe ist die Wiederherstellung unserer von Christus in seiner Ökonomie rekapitulierten adamitischen Natur. Die Taufe ist die sakramentale Teilhabe des Todes und des Lebens, des Begräbnisses und der Auferstehung Christi. Das griechische Wort *baptizo* bedeutet untertauchen. Die orthodoxe Kirche besteht mit der alten Kirche auf der Unverzichtbarkeit dieses symbolischen Realismus. Wird die Taufe durch Übergießen oder Besprengung vollzogen, so verliert sich ihr tiefer Zusammenhang mit dem Abstieg Christi in die Unterwelt. Es macht gerade das Wesen der Taufe aus, dass sie zugleich bildhaft und real das Heil vergegenwärtigt: Das dreifache Eintauchen schenkt die Teilhabe am triduum paschale und am Abstieg in den Hades, das Auftauchen dagegen den Eingang in die österliche Herrlichkeit des abendlosen Tages. Das Wasser der Taufe empfängt seine sakramentale

Kraft vom Blut Christi, sodass das Kreuz die Schwelle des neuen Lebens bildet.

Die Wiedergeburt geschieht „aus dem Wasser und dem Heiligen Geist" (Joh 3,5–7). Die personale Quelle der Heiligung, der Heilige Geist verleiht in Seiner sakramentalen Präsenz dem Taufwasser Seine Energien und formt es zu dem „lebendigen Wasser", zum Schoß der Wiedergeburt. Die großen biblischen Präfigurationen der Taufe, die Sintflut und die Arche veranlassen den Hirten des Hermas dazu zu sagen, „die Kirche" sei „auf den Wassern erbaut", während Cyrill von Jerusalem feststellt: „Vor dem ganzen Sechstagewerk schwebte der Geist Gottes über dem Wasser. Der Anfang der Erde ist das Wasser, und der Anfang des Evangeliums ist der Jordan." (Katechese 3,5)

Durch die Epiklese ist das Wasser von jeglichem bösen Einfluss befreit und empfängt die Kraft der Heiligung. Das Wasser ist nicht einfach nur das Medium der Wirksamkeit des Heiligen Geistes, die causa instrumentalis; vielmehr teilt sich der Geist dem Wasser mit. Ebenso wird auch das Öl, das Myron, das zur Salbung dient, durch die Epiklese „eine Gnadengabe Christi, die durch die Gegenwart des Heiligen Geistes mit der Kraft Seiner Gottheit erfüllt ist" (Mystagogische Katechese 3,3). Der Heilige Geist ist ebenso im Myron wie im Taufwasser. Er handelt in den Elementen und durch sie. Taufwasser und Myron sind also nicht nur Bilder oder Symbole, sondern Elemente, in denen der Heilige Geist Sein Handeln ausübt und verbirgt. Unser Leib nimmt ebenso wie unser Geist an der Gnade teil, und beide sind Bild des Fleisch gewordenen Wortes. Darum ist in der sakramentalen Symbolik das heilige Zeichen mit der bezeichneten Wirklichkeit identisch.

Das „Versprechen" der Taufe, „das große und selige Bekenntnis des Glaubens an die Trinität" (Hl. Athanasius PG 26,1197), die feierliche Beschwörung der Verbundenheit mit Christus erfordern eine entsprechende Disposition der Seele. Der Exorzismus und die Absage an den Teufel sind die dafür notwendige Vorbereitung. Der Priester haucht in das Angesicht des „Toten" den Hauch des Lebens ebenso, wie Adam durch Gottes Hauch das Leben empfangen hat. Nach Westen gewandt deutet der Katechumene den Kampf an, den er als Christ lebenslang wird führen müssen, und widersagt feierlich der Macht des Feindes.

Die Entkleidung und die Bekleidung mit dem weißen Gewand bedeuten die Rückkehr zur Unschuld: „Indem wir die Kleider aus Fell ablegen und nackt werden, … eilen wir dem königlichen Kleid entgegen." (Kabasilas 2,25) „Dieses Wasser zerstört ein Leben, während es ein anderes hervorbringt. Den alten Menschen erstickt es und lässt den neuen auferstehen." (Kabasilas 2,30)

Die Anrufung der Trinität und das Gießen geweihten Öls in das Taufbecken konsekriert die sakramentale Materie des Wassers. Die Katechumenensalbung vergegenwärtigt jene Salbung Jesu, die auf sein Begräbnis verweist. Wir bringen Gott die Nachahmung seines Todes dar. Gott antwortet darauf durch die Auferstehung. Der Täufling empfängt das Sein und wird wie eine Statue nach seinem göttlichen Urbild „remodelliert". Er empfängt die Integrität des wiederhergestellten Bildes. Das Taufwasser löscht das Siegel des Feindes, die Befleckung der Erbsünde, und schenkt das Siegel, jene unauslöschliche Prägung, an der die Engel die Gläubigen erkennen. Eine neue Schöpfung entsteigt dem „Bad der Wiedergeburt", wie ein Schaf von seinem Hirten bezeichnet, makellos, durch die Erleuchtung seiner Seele charismatisch dem Heiligen zugeneigt.

Christus handelt durch die heiligende Kraft des Heiligen Geistes, den Er auf die Erde sendet. Das offenbart die Funktion der Priester im Vollzug der Sakramente, denn sie stellen die wirkende Kraft der Kirche dar. Wenn der Priester dich tauft, „so ist es nicht er, der dich tauft, sondern Gott, der mit unsichtbarer Kraft deinen Kopf hält", sagt der hl. Johannes Chrysostomus. (Matthäuskommentar 1,3)

Statt der indikativischen westlichen Taufformel benutzt die orthodoxe Kirche die ältere passive Taufformel: „Getauft wird der Knecht/die Magd Gottes ..."

In der Taufe wird Gottes Bild wiederhergestellt, und mit ihm auch das Organ der Wahrnehmung der Gnade. Die geistlichen Sinne erlauben eine charismatische Wahrnehmung, die Erfassung der ungeschaffenen Herrlichkeit und die Teilhabe an den göttlichen Energien. „Wir alle widerspiegeln die Herrlichkeit des Herrn ... und werden in dasselbe Bild verwandelt", sagt der hl. Apostel Paulus (2 Kor 3,18). „Sobald wir getauft werden, leuchtet die Seele heller als die Sonne, gereinigt im Heiligen Geist, und sehen wir nicht nur Gottes Herrlichkeit, sondern wir empfangen von ihr auch einen gewissen Glanz", kommentiert der hl. Johannes Chrysostomus (Kommentar zum 2. Korintherbrief, 7. Homilie). „Wer in Christus getauft ist, ist eine neue Schöpfung." (2 Kor 5,17)

2. Römisch-Katholische Kirche[1]

Die Wurzeln der christlichen Taufe

Die Taufe ist im Wirken Jesu, in seinem Tod und seiner Auferstehung verwurzelt. Die Reich-Gottes Verkündigung Jesu, die ihr Zentrum im Aufruf zur Umkehr und Hinwendung des Menschen zum barmherzigen Gott hat (vgl. Mk 1,14f.), zeigt, dass sich der Anfang des Christseins als Umkehr, Buße und Bekehrung vollzieht. Obwohl Jesus selbst nicht die Wassertaufe gespendet hat, praktiziert sie die Urkirche mit Selbstverständlichkeit als

---

[1] Th. Schneider, Zeichen der Nähe Gottes. Grundriss der Sakramententheologie, Mainz ⁴1979, 70–106; H. Vorgrimler, Sakramententheologie (Leitfaden Theologie 17), Düsseldorf 1987, 121–140.

Zeichen, in dem diese Abkehr vom bisherigen Leben und die Hinwendung zu Gott geschieht. Sie knüpft mit ihrer Taufpraxis nicht – wie die neuere exegetische Forschung übereinstimmend belegt – an die rituellen Bäder und Waschungen im hellenistischen Umfeld, sondern an das Vorbild Jesu selbst an, der sich von Johannes im Jordan taufen ließ (Mk 1,9 par). Die Johannestaufen waren öffentliche Zeichen der Bereitschaft zur Neugestaltung des Lebens nach den Weisungen Gottes und der Sündenvergebung. Wie schon bei Johannes dem Täufer ist die christliche Taufe von Anfang an ein einmaliger, unwiederholbarer Akt, mit dem die Gabe des Heiligen Geistes verbunden ist (Mk 1,8; Apg 2,38), die aber im Unterschied zur Johannestaufe „auf den Namen Jesu Christi" (Apg 2,38; vgl. 10,48; 19,5) geschieht.

Auftrag und Vollmacht zur Taufe auf den Namen des Vaters, des Sohnes und des Heiligen Geistes entnimmt die Kirche im besonderen dem so genannten Taufbefehl des auferstandenen und erhöhten Herrn (Mt 28,18 ff.).

Die Bedeutung der Taufe

Sakrament des Glaubens

Glaube und Taufe gehören nach biblischem Zeugnis notwendig zusammen. Im Neuen Testament finden sich vor allem zwei unterschiedliche Verhältnisbestimmungen von Glaube und Taufe:

1. Der Glaube geht der Taufe voraus und begleitet sie. Auf die glaubende Annahme der Verkündigung des Evangeliums folgt die Taufe (Apg 2,37–41; Mk 16,16; Mt 28,19).
2. Die Taufe wird verstanden als Anfang eines neuen Lebensweges, der im Glauben fortgesetzt werden muss. Nicht nur der Glaube führt zur Taufe, sondern umgekehrt lebt der Weg des Glaubenden vom vertieften Verstehen und Verwirklichen des in der Taufe Geschehenen (Röm 6,1–14; vgl. a. 1 Kor 6,11; 1 Petr 3,21).

Setzt man beide Bestimmungen in eine dynamische Beziehung zueinander, so ergibt sich: Die untrennbare Zusammengehörigkeit von Glaube und Taufe darf nicht einlinig gedacht werden: Weder der Glaube noch die Taufe sind jemals in sich abgeschlossene Vorgänge; sie sind vielmehr lebenslange Prozesse. Von daher wird einsichtig, dass nach katholischer Auffassung die christliche Initiation (Einführung, Einweihung) als ein Weg in mehreren Stufen, der langsamer oder rascher zurückgelegt werden kann, verstanden wird.

Initiation – Eingliederung in die Kirche als Gemeinschaft der Glaubenden

- *Die Taufe ist das grundlegende Sakrament christlicher Initiation, der Eingliederung des Getauften in den Christusleib, die Kirche.* (1 Kor 12,13; Apg 2,41.47). Dies ist nach katholischer Auffassung die primäre

Wirkung der Taufe. Wer sich taufen lässt, wird eingegliedert in die Gemeinschaft der Kirche aller Zeiten und Orte. Ihren konkreten Ausdruck findet diese Eingliederung durch die Aufnahme in eine bestimmte Gottesdienstgemeinde am Ort. Aus diesem Grund soll die Tauffeier im Regelfall am Sonntag in der Pfarrkirche stattfinden, mehrmals jährlich auch innerhalb der sonntäglichen Eucharistiefeier.

- Das in der Taufe grundgelegte christliche Leben muss wachsen und sich entfalten als Frucht der Gnade Gottes. *Diesem Prozess der Entfaltung, Bekräftigung und Vollendung dienen die eng mit der Taufe verbundenen weiteren Initiationssakramente Firmung und Eucharistie.*

- Das II. Vatikanische Konzil hat herausgestellt, dass die Taufe nicht nur Aufnahme des Einzelnen in die Kirche bedeutet, sondern zugleich auch *Teilhabe jedes Getauften am Priestertum Christi (= gemeinsames Priestertum aller Getauften)* und damit aller Christen an der Sendung der Kirche.

- Da die Taufe Eingliederung in die Gemeinschaft der Kirche bedeutet, ist ihre *feierliche Spendung in der Regel dem geweihten Amtsträger vorbehalten.* Im *Notfall* kann aber *jeder Christ*, ja selbst ein Ungetaufter die Taufe gültig spenden, wenn er dies in der Form und Absicht der Kirche tut. Denn Christus selbst ist ja eigentlicher Spender der Taufe.

- Die *gültige Taufe* geschieht durch *Übergießen des Täuflings mit Wasser* oder *durch Untertauchen verbunden mit der trinitarischen Taufformel* (Mt 28,19).

- Durch die *eine Taufe sind bereits alle Christen miteinander verbunden,* wenngleich sie noch immer unterschiedlichen Kirchen und kirchlichen Gemeinschaften angehören. Die Taufe „begründet" nach Aussage des II. Vatikanischen Konzils „ein sakramentales Band der Einheit zwischen allen, die durch sie wiedergeboren werden." (UR 22)

Übereignung an Christus und Berufung zum Leben in der Gemeinschaft des dreieinen Gottes

- Das sakramentale Zeichen der Taufe weist aber zunächst nicht direkt auf die Kirche hin. Die Deutung der Wassertaufe durch die ursprünglich christologische („auf den Namen Jesu") und später trinitarisch entfaltete Taufformel zielt zunächst auf die Grundaussage: *In der Taufe geschieht die Hinwendung zu Jesus Christus, die Übereignung an ihn.* Paulus verbindet diese in der Taufe geschenkte Christusgemeinschaft in Röm 6,1–14 noch in besonderer Weise mit Tod und Auferstehung Jesu Christi: In der Taufe geschieht *Teilhabe am Schicksal Jesu,* Hineinnahme in die Dunkelheit des Kreuzestodes und in die Auferweckung zu neuem ewigen Leben. In die Schicksalsgemeinschaft mit Christus hineingetauft zu sein, heißt das lebenslange immer neue Bemühen, Christ zu werden, zu dem zu werden, was in der Taufe mit uns geschehen ist.

- Diese Verbundenheit mit Christus ist *Gabe des Heiligen Geistes,* der uns immer neu in die lebendige Gemeinschaft mit dem Vater und dem Sohn einbezieht. *Der dreieine Gott ist es, der in der Taufe handelt.*

- Christsein als in der Taufe geschenkte Anteilgabe an der Gemeinschaft des dreieinen Gottes begründet eine *Gemeinschaft von Menschen mit gleicher Würde und Stellung* unabhängig von menschlichen Grenzziehungen nach Volk, Rasse, Stand oder Geschlecht: Alle sind eins in Christus.
- Da die in der Taufe geschehene Übereignung an Christus zum Leben in der Gemeinschaft mit dem dreieinen Gott ein bleibendes Geschehen ist, darf die *gültig gespendete Taufe nicht wiederholt werden.* Das in der Taufe gesprochene „Ja" Gottes zum einzelnen Täufling bleibt auch dann von seiner Seite bestehen, wenn Getaufte sich im Laufe ihres Lebens vom Glauben entfremdet haben oder gar von ihm abgefallen sind.

Vergebung der Sünden und neue Schöpfung

- Das sakramentale Zeichen der Taufe, das Wasser, Symbol der Reinigung wie des Lebens, bringt sinnfällig die doppelte Frucht der Taufe zum Ausdruck: *Abwaschung, Reinigung von der Sünde und Geschenk neuen ewigen Lebens.* Die Taufe befreit uns sowohl aus der Verstrickung in die Schuldzusammenhänge der Menschheitsgeschichte (= Erbsünde) als auch von allen möglicherweise persönlich begangenen Sünden. Die Taufe schenkt positiv formuliert Wiedergeburt zu neuem Leben (vgl. Joh 3,3.5; Tit 3,5). In ihr geschieht Rechtfertigung und Heiligung (vgl. 1 Kor 6,11), die Gabe des Heiligen Geistes (Apg 2,38; 1 Kor 12,13) und das Geschenk heiligmachender Gnade. Das neue Leben realisiert sich in Glaube, Liebe und Hoffnung, die ihrerseits Früchte der Taufgnade sind.
- Da die Taufe der von Gott gebotene Weg in die Gemeinschaft des Heils ist, lehrt die Kirche ihre *Heilsnotwendigkeit* (Vgl. Joh 3,3.5; Mk 16,16). Sie lehrt sie aber nur für diejenigen, „denen die Taufe verkündet wurde und die die Möglichkeit hatten, sich für die Taufe zu entscheiden" (Katholischer Erwachsenenkatechismus, 332).

Taufpraxis – das Problem der Kindertaufe

Im Neuen Testament wird an keiner Stelle von der Kindertaufe gesprochen. Die Anfänge der Kindertaufe in der Alten Kirche bleiben dunkel. Ab dem 3. Jahrhundert finden sich für die Praxis der Kindertaufe literarische Zeugnisse, ab dem 5. Jahrhundert ist sie allgemeine Praxis.

Zunächst ist für die Diskussion über die Berechtigung oder Infragestellung der Kindertaufe festzuhalten, dass der unauflösbare Zusammenhang von Glaube und Taufe die unbestrittene gemeinsame Basis bildet. Je nach Bestimmung des genauen Verhältnisses von Glaube und Taufe ergeben sich dann allerdings recht unterschiedliche Optionen. Wird der Glaube primär verstanden als persönliche Zustimmung zur Verkündigung der Botschaft des Evangeliums und als Bekenntnisakt aufgrund eines persönlichen Glaubens- bzw. Bekehrungserlebnisses, verliert die Kindertaufpraxis, vor allem die Säuglingstaufe, die Berechtigung. Werden Glauben und Hören auf das Wort Gottes als ein offener, auf Wachstum angelegter Prozess verstanden und Glaube nicht als ein für allemal erworbener Besitz, ist klar, dass Glaubensentwicklung angewiesen bleibt auf den Vollzug innerhalb der Gemeinschaft der Glaubenden. Dann erscheint die Kindertaufpraxis als die Eröffnung eines Glaubensraumes, als Teilhabe am Glauben anderer, die sie sinnvoll und berechtigt erscheinen lässt. Die Praxis der Kindertaufe bringt in besonderer Weise das Zuvorkommen der Gnade Gottes zum Ausdruck und möchte der Gefahr begegnen, den Glauben als Vorleistung zum Empfang der Taufe zu begreifen oder den Empfang der Taufe als einen Souveränitätsakt des Menschen zu verstehen.

„In unserer gegenwärtigen Situation ist die Kindertaufe theologisch vertretbar, bei gläubigen Eltern sinnvoll und von der Gemeinde zu verantworten, wenn sie eingebettet ist in eine kirchliche Taufpastoral und in ein lebendiges Gemeindeleben."[2]

Es ist in diesem Zusammenhang aber auch darauf hinzuweisen, dass die Zahl von jugendlichen und erwachsenen Taufbewerbern seit einigen Jahren stetig zunimmt, sodass es in der römisch-katholischen Kirche zu einer Erneuerung der Taufpastoral, der Wiederbelebung des altkirchlichen Katechumenats und der Praxis der Erwachsenentaufe gekommen ist.

3. Alt-Katholische Kirche[3]

Der Begriff

„Die Taufe ist dasjenige von Gott eingesetzte Sakrament der Kirche, durch das der im Namen der heiligen und Leben spendenden Dreifaltigkeit Getaufte ein Glied der Kirche Christi wird, indem er durch die Teilhabe am Mysterium des göttlichen Heilswerkes in Christus von der Herrschaft der Sünde befreit und zu einem neuen Geschöpf in Christus wiedergeboren wird." (Gemeinsame Texte des orthodox-altkatholischen Dialogs 1975–1985, V / 2 Nr. 1.1: Urs von Arx (Hg.), Koinonia auf altkirchlicher Basis [Bern 1998] 86; im Folgenden GT).

---

[2] Schneider, Zeichen der Nähe Gottes, 103.
[3] Vgl. im Allgemeinen: Küry/Oeyen, Die altkatholische Kirche (Stuttgart 1978) 185 ff.; ferner: Gemeinsame Texte des orthodox-altkatholischen Dialogs 1975–1985, V/2 Nr. 1.1: Urs von Arx (Hg.), Koinonia auf altkirchlicher Basis (Bern 1998) 86.

Der Ursprung der Taufe

Der *tragende Grund* der Taufe ist die Verheißung der grundlegenden *Sündenvergebung* an alle, die Buße tun. Schon in der Botschaft der alttestamentlichen Propheten kündet sich die Taufe an. Sie verheißen die Wiederaufnahme Israels in den Bund der Gnade aufgrund völliger „Umkehr" zu Gott durch eine allgemeine „Reinigung" unter dem äußerem Zeichen der Begießung mit reinem Wasser (Lustration – Ez 36,24–27; vgl. Jes 1,16; 4,4; Jer 2,22; Sach 13,1,2). In dieser Tradition der großen Propheten steht auch die Wassertaufe zur Vergebung der Sünden, die Johannes der Täufer mit seiner Ankündigung der nahe bevorstehenden Gottesherrschaft und dem Ruf der völligen Umkehr (Buße) verbindet. Erst für die Endzeit verheißt er die Taufe mit Feuer und Geist, die der Messias bringen wird. In gleicher Weise ist wohl auch die von den Jüngern Jesu und auch ausnahmsweise von ihm selbst im Anfang seines irdischen Wirkens gespendete Taufe (Joh 3,22; vgl. auch 4,2) zu sehen. Die christliche Taufe – „auf den Namen Christi" – wird erst möglich nach Vollendung seines Heilswerkes mit der Sendung des Hl. Geistes. So wird denn auch sofort nach Pfingsten – ohne nähere geschichtliche Begründung oder Erklärung – in der Urgemeinde die Taufe allgemein geübt. Offenbar konnten sich die Apostel und die Urgemeinde für die Taufe auf einen Auftrag des erhöhten Herrn berufen.

Die Einsetzung der Taufe

Die *Einsetzung* der Taufe durch den erhöhten Herrn ist bei Mt 28,18–20 mit den folgenden, an die Jünger gerichteten Worten überliefert: „Mir ist [jetzt] alle Vollmacht im Himmel und auf Erden verliehen worden. Geht hin und macht alle Völker zu Jüngern, indem ihr sie tauft auf den Namen des Vaters, des Sohnes und des Hl. Geistes und sie lehrt, alles zu halten, was ich euch aufgetragen habe. Und siehe, ich bin bei euch alle Tage bis ans Ende dieser Weltzeit." Durch die Verkündigung des Evangeliums sollen sie alle Völker der Erde zur Umkehr und in den Neuen Bund der Gnade rufen und alle, die diese Botschaft annehmen, durch die Taufe auf den dreieinigen Gott übereignen und in die endzeitliche Gemeinde eingliedern. Und sie sollen die Getauften lehren, alles, was der Herr ihnen aufgetragen hat, in ihrem Leben zu verwirklichen. Der erhöhte Herr wird, indem sie diesen dreifachen Auftrag erfüllen, bei ihnen sein: Er selbst wird es sein, der durch den Dienst seiner Boten die Verkündigung, die Taufe und die Unterweisung vollzieht. Die Taufe ist wie die Verkündigung ein Herrschaftsakt Christi selbst und als solcher der grundlegende Initiationsakt, durch den er die Gläubigen in sein – im Taufakt gegenwärtiges – Heilswerk und in seine endzeitliche Gemeinde aufnimmt.

Das Wesen der Taufe

Die sakramentale Handlung

Zu der *sakramentalen Handlung* (signum) der Taufe gehören nach biblischem Zeugnis folgende drei Momente: Äußeres Zeichen (materia) ist das Untertauchen ins Wasser, wie es heute noch in der Ostkirche geübt wird oder die Aufgießung von Wasser, wie dies im Westen schon seit dem 1. Jahrhundert üblich wurde und wie es im Osten immer noch bei der Nottaufe geschieht. Hinzu tritt (als forma) das die Handlung begleitende Wort, das die sakramentale Wirkung bezeichnet und sie proklamiert: Ich taufe dich im Namen des Vaters, des Sohnes und des Hl. Geistes. (Oder auch: auf den Namen Christi, eine Formel, die bis ins 3. Jahrhundert neben der trinitarischen üblich war und sachlich dasselbe besagt.) Spender der Taufe kann sein, wer, wie die Apostel, dazu beauftragt und bevollmächtigt ist und im Sinne der Kirche handelt. Nur im Notfall kann ein Laie (mit der Ostkirche ist zu sagen: ein getaufter Laie) kraft seines allgemeinen Priestertums die Taufe vornehmen.

Das göttliche Heilsgeschehen

Das *göttliche Heilsgeschehen* (res) der Taufe nimmt nach Röm 6 den Täufling hinein in die Segensmacht des Heilstodes Christi und seiner Auferstehung. Dies bewirkt die dauernde Gemeinschaft mit dem Gekreuzigten und Auferstandenen und geschieht durch die grundlegende Sündenvergebung (die Rechtfertigung des Sünders) und die Verleihung des neuen Lebens im Hl. Geist. Sie ist ein einmaliger, unwiederholbarer Akt, durch den der Täufling dauernd in die Kirche als den Leib Christi eingegliedert wird und durch den er mit dem „Abbild" (dem Heilsmysterium) des Todes und der Auferstehung Christi „zusammenwächst" (Röm 6,5). Die Gewähr dafür, dass das geschieht, liegt in dem Verheißungswort der Vergebung, das der tragende Grund der Taufe ist und das nur im Glauben entgegengenommen werden kann: Ich bekenne eine Taufe zur Vergebung der Sünden (Credo).

„Der Getaufte wird durch die Wirkung der göttlichen Gnade wiedergeboren und mit Christus zu *einem* Leib verbunden und erfreut sich der Gotteskindschaft. Durch diese Verbindung zu *einem* Leib wird er mit den Gläubigen aller Zeiten und Orte vereint und lebt diese Gemeinschaft in der Kirche; er wird Bürger des Reiches Gottes und verwirklicht in geistlichen Kämpfen sein Heil in der Hoffnung auf die Teilhabe am Leben der kommenden Welt. Diese Wirkungen der Taufe sind zwar ein Geschenk des dreieinigen Gottes und gründen im Geheimnis des göttlichen Heilswerkes in Christus, doch sie setzen, um fruchtbar zu werden, in jedem Getauften die persönliche Annahme des göttlichen Geschenkes in Glaube, Umkehr und Werken der Liebe voraus." (GT II.1)

Die Wirkung und die Notwendigkeit der Taufe

Die äußere Symbolhandlung des Untertauchens, die das Sterben des alten Menschen und damit die Reinigung von aller Sünde darstellt, stärkt, kräftigt und bestätigt den Glauben an das Heilsmysterium des Todes und der Auferstehung Christi. Die Symbolwirklichkeit der Taufe schafft im Täufling die dauernde Christusförmigkeit als ein unzerstörbares Merkmal (character indelebilis) und begründet damit sein allgemeines Priestertum. Die durch die Symbolwirklichkeit bezeichnete Heilswirklichkeit ist die Aufnahme in die messianische Heilsgemeinde der Endzeit und damit die Versiegelung auf die Endherrlichkeit. Notwendig ist die Taufe, weil der Herr sie geboten hat, aber auch, weil er durch sie die Herrschaft über die Seinen aufrichtet. Diese Herrschaft bedeutet vor allem auch, dass der Herr sich für die Seinen entscheidet, bevor sie sich für ihn entscheiden. Zum Zeichen dafür ist die Taufe, wie das schon in der Urkirche geschah, auch unmündigen Kindern zu spenden.

4. Evangelische Kirche im Rheinland (uniert)/ Evangelische Kirche von Westfalen (uniert)

Die Kirche Jesu Christi hat von ihrem Herrn den Taufbefehl empfangen. Jesus Christus hat seiner Gemeinde geboten und verheißen: „Mir ist gegeben alle Gewalt im Himmel und auf Erden. Darum gehet hin und machet zu Jüngern alle Völker: Taufet sie auf den Namen des Vaters und des Sohnes und des Heiligen Geistes und lehret sie halten alles, was ich euch befohlen habe. Und siehe, ich bin bei euch alle Tage bis an der Welt Ende" (Mt 28,18–20).

In der heiligen Taufe handelt Gott selbst an dem Täufling und spricht ihm seine Gnade zu. Er nimmt ihn hinein in die Gemeinschaft des Sterbens und Lebens Jesu Christi (Röm 6,3–4). Wer getauft ist, gehört zu Jesus Christus und wird Glied an seinem Leibe (1 Kor 12,12–13). Die Taufe ist Neugeburt im Heiligen Geist (Tit 3,5) durch das Wort, dem der Glaube antwortet (Mk 16,16). Sie ist der Beginn eines neuen Lebens in Heiligung.

Die Taufe ist ihrem Wesen nach nicht wiederholbar.

Die Taufe ist allen christlichen Kirchen gemeinsam und damit ein Zeugnis für die Einheit des Leibes Jesu Christi. „Ein Leib und ein Geist, wie ihr auch berufen seid zu einer Hoffnung eurer Berufung; ein Herr, ein Glaube, eine Taufe" (Eph 4,4–5).

Die Taufe wird dem Gebot Christi folgend vollzogen im Namen des Vaters und des Sohnes und des Heiligen Geistes. Dabei wird der Kopf des Täuflings dreimal mit Wasser begossen.

Nur eine mit Wasser und auf den Namen des Dreieinigen Gottes vollzogene Taufe ist gültig. Ist die Taufe nicht dem Gebot Jesu Christi gemäß geschehen, so ist sie nachzuholen und stiftungsgemäß zu vollziehen.

Die Kirche verwaltet das Sakrament der heiligen Taufe in der Regel durch ihre ordinierten Dienerinnen und Diener am Wort.

Bei drohender Lebensgefahr dürfen alle Christinnen und Christen die Taufe vollziehen (Nottaufe). Wenn möglich, sollen dabei christliche Zeugen zugegen sein.

Wann immer eine Taufe gewünscht wird, ist die christliche Gemeinde verantwortlich für eine angemessene Einführung in den christlichen Glauben und in das Leben der Gemeinde. Die Art der Unterweisung ist abhängig vom Lebensalter des Täuflings.

Die Taufe findet in einem Gemeindegottesdienst statt, in der Regel in der Kirchengemeinde, zu der die Eltern gehören oder der Täufling gehören wird. Die unter Gottes Wort versammelte Gemeinde nimmt mit dem Lob Gottes, mit dem Bekenntnis ihres Glaubens und mit ihrer Fürbitte an der Taufe teil.

Bei der Taufe eines Kindes treten Patinnen und Paten an die Seite der Eltern.

Das Patenamt erwächst aus der Verantwortung der christlichen Gemeinde für ihre getauften Glieder und erfüllt damit einen kirchlichen Auftrag.

Patinnen und Paten sind Taufzeugen und nehmen an der Taufe teil. Im Rheinland ist die nachträgliche Bestellung von Patinnen/Paten möglich.

Sie verpflichten sich, mit den Eltern zusammen dafür zu sorgen, dass das getaufte Kind sich der Bedeutung seiner Taufe bewusst wird. Das geschieht, indem sie für das Kind und mit ihm beten, es auf seine Taufe hin ansprechen und ihm zu einem altersgemäßen Zugang zum Glauben und zur Gemeinde helfen.

5. Lippische Landeskirche (reformiert)

Grundlegung nach der Lebensordnung der Lippischen Landeskirche

Die christliche Gemeinde tauft, weil Jesus Christus, der für die Sünde der Welt starb und von den Toten auferstand, gesagt und geboten hat: „Mir ist gegeben alle Gewalt im Himmel und auf Erden. Darum gehet hin und machet zu Jüngern alle Völker: Taufet sie auf den Namen des Vaters und des Sohnes und des Heiligen Geistes und lehret sie halten alles, was ich euch befohlen habe. Und siehe, ich bin bei euch alle Tage bis an der Welt Ende." (Mt 28, 18–20). Die Taufe in den Tod Jesu Christi (Röm 6,3), das Bekenntnis zu ihm als dem Herrn, dem alle Macht gegeben ist, und der neue, durch den Heiligen Geist gewirkte dankbare Gehorsam bestimmen das Taufgeschehen und sind für seine Bedeutung und Ordnung grundlegend.

Nach dem Zeugnis des Neuen Testaments sind Menschen, die an Christus glauben und auf seinen Namen getauft wurden, zu einem neuen Leben wiedergeboren (Röm 6,3; Kol 2,12; Tit 3,5 u. ö.). Ihr Leben untersteht nicht mehr den Mächten dieser Welt, sondern hat in Jesus Christus einen neuen Herrn bekommen (Röm 6,12–23; 2 Kor 5,14+15; Röm 14,7–9). Die auf Christus Getauften sind mit einem neuen Geist beschenkt (Apg 2,38) und dazu berufen, ihr Leben nicht mehr nach den Maßstäben dieser Welt zu führen (Eph 2,1–6). Sie stehen unter der Verheißung, dass ihr Leben schon jetzt Zeichen und Anfang der neuen Schöpfung Gottes ist (2 Kor 5,17; Jak 1,18).

Die heilige Taufe wird vollzogen, indem der Täufling nach dem Taufbefehl Jesu (Mt. 28,18–20) auf den Namen des dreieinigen Gottes mit Wasser getauft wird. Zur Taufe gehören also untrennbar Wort und Zeichen. In der frühen Christenheit wurden die Täuflinge bei ihrer Taufe ganz unter Wasser getaucht zum Zeichen dafür, dass ihr altes Leben in den Tod gegeben und ihnen ein neues Leben aus der Macht und Gnade Gottes geschenkt wurde. Auch da, wo die Taufe durch Übergießen mit Wasser geschieht, ist das Wasser Zeichen für diese Neugeburt des Menschen in Jesus Christus.

Die Taufe ist gültig, wenn sie auf den Namen des dreieinigen Gottes mit Wasser vollzogen wird. Doch sie kann in das Leben eines Menschen nur hineinwirken und zu einem neuen Wandel führen, wo sie im Glauben, den Gott schenken will, empfangen und festgehalten wird. So treten Glaube und Bekenntnis notwendig zur Taufhandlung hinzu.

Nach dem Zeugnis des Neuen Testament ist die Taufe ein unwiederholbares Zeichen der Gnade Gottes (vgl. u. a. Röm 6,10 f.). Unabhängig von menschlichem Vermögen geht die Gnade Gottes unserer Entscheidung immer voraus (Eph 2,8 f.). Mit der Taufe unmündiger kleiner Kinder kommt dies besonders eindrücklich zum Ausdruck.

Die Taufe steht als ein einmaliges Geschehen am Anfang des Lebens als Christ. Sie betrifft jedoch das ganze Leben eines Christen. Ein Leben lang bleiben Christen darauf angewiesen, an die Taufe als den Ursprung ihrer christlichen Existenz erinnert zu werden und im Glauben zu empfangen, was ihnen in der Taufe zugesagt ist: die Vergebung ihrer Schuld durch das Blut Jesu Christi (1 Joh 1,7) und die Auferweckung zu einem neuen Leben in der Nachfolge ihres Herrn (Röm 6,4; Eph 2,4–10 u. ö.).

6. Evangelisch-methodistische Kirche

Das Heil als Mittelpunkt des Christseins

Für das Verständnis der Taufe in der evangelisch-methodistischen Kirche ist die Frage nach dem, was den Mittelpunkt des Christseins darstellt, wesentlich. Es ist auf Seiten Gottes das Heilswerk Jesu Christi, auf Seiten des Menschen die Annahme des Heils durch den Glauben, der Vergebung der Sünden und der Bevollmächtigung zu einem neuen Leben in der Nachfolge Christi. Auch in der Taufe steht die Gnade Gottes im Mittelpunkt, wie sie in der Heilstat Christi zu erkennen ist.

Die Taufe als äußeres Zeichen einer inneren Gnade

Nach dem Zeugnis des Neuen Testaments kann die Verkündigung des Evangeliums an zumindest zwei Stellen sichtbare und zeichenhafte Formen annehmen: in der Taufe und im Abendmahl. Das Neue Testament enthält in diesem Zusammenhang auch einen deutlichen Befehl, von dieser zeichenhaften Verkündigung des Evangeliums Gebrauch zu machen. Deshalb haben Taufe und Abendmahl einen hervorragenden Stellenwert innerhalb der „Gnadenmittel". Auch für die methodistischen Kirchen hat die Taufe grundlegende Bedeutung: die Aufnahme in Gottes Bund und die Zueignung des Heils. Allerdings stand im Methodismus die Diskussion über die Taufe nie im Vordergrund. Umkehr, Wiedergeburt, Heiligung, soziales Engagement waren die Themen, die von jeher die methodistischen Gemeinden bewegt haben. Von der Taufe wird gelehrt, dass sie zunächst ein Heilsangebot für alle Völker ist, vergleichbar mit der „vorlaufenden Gnade", die allen Menschen gilt. In dieses Angebot sind deshalb nicht nur diejenigen eingeschlossen, die bei der Taufe ihren Glauben bekennen, sondern auch die Kleinkinder, die von ihren Eltern zur Taufe gebracht werden. Es wird aber hinzugefügt, dass Gottes Angebot zugleich ein Aufgebot für Gottes Sache ist. Aus diesem Grunde wird mit Nachdruck gelehrt, dass die Taufe eines Kindes ihr Ziel erst dann erreicht, wenn Gottes Heil in Jesus Christus bewusst im Glauben angenommen wird und der Mensch sich vom Geist Gottes hat erneuern lassen. Nicht, dass erst die menschliche Glaubensentscheidung die Taufe machen würde, denn die Taufe wird als „wirksames Zeichen" erklärt, bei welchem Gott der primär Handelnde ist. Die Taufe wird dadurch nicht etwa als sakramentales Geschehen erklärt, das schon durch den bloßen Vollzug wirken würde. Taufe und Glaube sind als Zueignung und persönliche Annahme des ohne unser Zutun in Christus geschehenen Heils aufeinander bezogen. Durch die Aufnahme in die Kirchengliedschaft macht der/die Einzelne vor der Gemeinde sichtbar, dass er/sie auf die Verkündigung des Heilsangebotes in Jesus Christus geantwortet und Gottes Angebot angenommen hat. Wenn jemand als Kind nicht getauft wurde und im Erwachsenenalter die Taufe begehrt, fallen Taufe und Aufnahme in die Gliedschaft, Zuspruch des Heils und Zeugnis der Annahme, zeitlich zusammen.

Biblischer Hintergrund

Im Neuen Testament finden wir eine einfachere Taufauffassung vor. Das hängt damit zusammen, dass hier keine Taufe von Kindern das Problem vom Verhältnis von Taufe und Glaube aufwirft. Es herrscht die klare Missionssituation der Anfänge. Wo Paulus von der Taufe schreibt, besteht kein Zweifel daran, dass er die an Glaubenden vollzogene Taufe meint. Später hat die Kirche angefangen, Kinder von zum Glauben gekommenen Eltern zu taufen. Dadurch wollte sie deutlich machen, dass Gott bei unserer Rettung den ersten Schritt macht. Sie wollte auch zum Ausdruck bringen, dass Kinder von gläubigen Eltern anders als Kinder von Heiden Hoffnung auf das in Christus geschenkte Heil haben und schon im Gnadenbereich der Kirche sind. Wohl ist der Glaube immer Antwort auf Gottes heilschaffendes Handeln, aber der Zeitpunkt der Glaubensantwort kann verschieden sein. Die als Kinder Getauften geben die Antwort in dem Augenblick, in dem ihnen der Geist Gottes für das bereits zugewendete Heil die Augen und das Herz öffnet. Aber auch die als Erwachsene Getauften müssen, wie Röm 6 zeigt, immer von Neuem zu einer Antwort des Glaubens im Gehorsam ermahnt werden. Der Glaube muss nicht erst die Grundlage schaffen, auf der Gott wirksam werden könnte. Auf diesem Hintergrund gesehen ist auch die Taufe von Kindern Taufe im biblischen Sinn. Ihre Wirkung freilich muss im Glauben immer neu ergriffen werden.

Teilnahme am Leben der Gemeinde

Glaube und Teilnahme am Leben der Gemeinde Jesu Christi sind sowohl bei der Taufe von Erwachsenen als auch bei der Taufe von Kindern notwendig. Die Taufe ist nicht als solche selig machend, obwohl sie uns auf der anderen Seite ständig daran erinnert, dass uns Gott in seiner Gnade sein Heil zuspricht, in uns Glauben weckt und uns zu neuen Menschen macht. Bei der Taufe von Erwachsenen hat die glaubende Gemeinde bei der Weckung persönlichen Glaubens vor der Taufe eine Rolle gespielt und hilft dem Getauften, den Weg der Nachfolge fortzusetzen. Bei der Taufe von Kindern bringt die Gemeinde den Täufling im Glauben Gott dar und sucht den Getauften durch ihr Zeugnis zur persönlichen Entscheidung für Christus anzuleiten und ihn zu einem Leben der Nachfolge zu stärken. In beiden Fällen muss die Gemeinde daran erinnert werden, dass nicht das Bekenntnis des Menschen das Heil bewirkt, sondern allein das Lebensopfer Jesu Christi, das dargebracht wurde, längst bevor wir gläubig wurden.

7. Bund Evangelisch-Freikirchlicher Gemeinden (Baptisten)[4]

Die Lehre von der Taufe wird dargestellt anhand zweier repräsentativer Bekenntnistexte. Sie ist eingebettet in das Verständnis der Gemeinde als Gemeinschaft der an Jesus Christus glaubenden und ihm dienenden Men-

---

[4] Vgl. zur Sache: G. Balders / U. Swarat (Hg.), Textbuch zur Tauftheologie im deutschen Baptismus (Kassel 1994).

schen. Darum ist in einem neueren Glaubensbekenntnis[5] der entsprechende Abschnitt überschrieben mit **„Glaube und Taufe"**:

> *„Gott bietet allen, die das Evangelium von Christus hören, darin seine Gnade an: Jeder, der sich in Buße und Glauben zu Gott hinwendet, empfängt Vergebung seiner Schuld und ewiges Leben. Gott erwartet von jedem die Antwort des Glaubens, zu der er ihn durch seinen Geist befähigt. Wer Christ wird, wendet sich von allem Bösen ab, bekennt fortan Jesus Christus als seinen Herrn und erklärt sich bereit, als Glied der Gemeinde ein verbindliches Leben in der Nachfolge Jesu Christi zu führen. (Röm 1,5.16 f.; 1 Thess 1,9 f.; Röm 10,9 f.; Eph 4.16) Jesus Christus hat seine Gemeinde beauftragt, die an ihn Glaubenden zu taufen. Die Taufe bezeugt die Umkehr des Menschen zu Gott. Deshalb sind nur solche Menschen zu taufen, die aufgrund ihres Glaubens die Taufe für sich selbst begehren. Die Taufe auf das Bekenntnis des Glaubens hin wird nur einmal empfangen. Nach der im Neuen Testament bezeugten Praxis wird der Täufling in Wasser untergetaucht. Die Taufe geschieht auf den Namen des Vaters und des Sohnes und des Heiligen Geistes: Der Täufling wird so der Herrschaft Gottes unterstellt. (Mk 16,15 f.; Apg 2,38, 8,36–38, 22,16; Hebr 10,10.22; Mt 28,19)*
> *Durch den Vollzug der Taufe wird dem Täufling bestätigt, was ihm das Evangelium zusagt und wozu er sich vor Gott und Menschen bekennt: Jesus Christus ist auch für mich gestorben und auferstanden. Mein altes Leben unter der Herrschaft der Sünde ist begraben, durch Christus ist mir neues Leben geschenkt. Gott gibt mir Anteil an der Wirkung des Todes Jesu Christi. Er lässt auch die Kraft seiner Auferstehung an mir wirksam werden, schon jetzt durch die Gabe des Heiligen Geistes und einst durch die Auferstehung zum ewigen Leben. (Apg 10,47; Kol 2,12 f.; Gal 3,26–28; Röm 6,3–11; 1 Petr 3,21; Eph 1,13 f.)*
> *Mit der Taufe lässt sich der glaubende Mensch als Glied am Leib Christi zugleich in die Gemeinschaft einer Ortsgemeinde eingliedern. Dort erkennt er seine geistlichen Gaben und Aufgaben und übt sie zur Ehre Gottes und zum Wohl der Menschen aus, dort erfährt und gewährt er Hilfe und Korrektur. (1 Kor 12,13; Apg 2,41 f.; 1 Petr 4,10 f.)"*[6]

Ein anderer Text ging aus einer mehrjährigen Taufdiskussion hervor[7]:

---

[5] Bund Ev.-Freikirchlicher Gemeinden in Deutschland (Hg.), Rechenschaft vom Glauben (Kassel o. J., nach 1995).
[6] Balders/Swarat (Hg.), Textbuch zur Tauftheologie (s. Anm. 4), Teil 2 I, Abschnitt 3: Glaube und Taufe.
[7] Wort der Bundesleitung vom 8. November 1997 „Zum Verhältnis von Taufe und Gemeindemitgliedschaft": Blickpunkt Gemeinde Nr. 1 (Kassel 1998).

„Das Neue Testament spricht von der Taufe aufgrund der persönlichen Glaubensentscheidung zum einen im Zusammenhang mit der Einladung zur Umkehr, zum anderen auch in Verbindung seines Zeugnisses vom Wesen der Gemeinde, ihrer Seelsorge und ihrem Leben. Es kennt kein individualistisches Taufverständnis. So betrifft die Taufe nicht nur den einzelnen glaubenden Menschen, sondern immer auch die Gemeinde, in die er hineingetauft wird.

Deswegen bekräftigen wir, dass als Zeichen der Eingliederung in den Leib Christi die Taufe zugleich die Aufnahme in die sichtbare Nachfolgegemeinschaft der Ortsgemeinde darstellt. Die Taufe ist Teil des Bandes, durch das die einzelnen Glieder zu einer Gemeinde verbunden werden (Eph 4,5). Wir achten es nicht gering, dass Gott uns mit der Taufe ein Zeichen („Bundeszeichen") gegeben hat, das einen geistlichen Vorgang äußerlich sichtbar abbildet; dem wollen wir mit unserer Tauf- und Aufnahmepraxis entsprechen."

8. Bund Freier evangelischer Gemeinden (Gaststatus)

Die nachstehenden Leitsätze[8] wurden in mehreren Gesprächen von Bundesleitung und Lehrerschaft und unter Einbeziehung einer Aussprache darüber mit der Predigerschaft erarbeitet und wurden den Teilnehmern der Rüstzeiten für Gemeindemitarbeiter im Oktober/November 1982 vorgelegt.

Die Leitsätze sind nicht als „Tauflehre" im Bund Freier evangelischer Gemeinden zu verstehen, sondern als Orientierungshilfe in der Gemeinde und im gegenwärtigen zwischenkirchlichen Gespräch.

1. Im Neuen Testament wird die Taufe nicht als eigenständiges Thema behandelt, sondern im Zusammenhang mit Tod und Auferstehung Jesu Christi, dem Wirken des Heiligen Geistes, der Wiedergeburt, der Mission, der Gemeinde und dem Leben in der Nachfolge.

2. Die Taufe hat ihren Grund im einmaligen Handeln Gottes in Jesus Christus zum Heil der Welt.

3. Nach dem Neuen Testament ist die Taufe in sachlichem und zeitlichem Zusammenhang mit dem Beginn des Glaubens zu sehen und mit dem verbindlichen Leben in einer Gemeinde von Glaubenden.

4. Die Taufe kann nur vollzogen werden aufgrund des persönlichen Glaubens, der durch Gottes Wort und Geist erweckt wird und zugleich dankbare und gehorsame Antwort des Menschen ist. Für diesen Glauben ist keine Stellvertretung möglich.

5. In der Taufe begehrt der Glaubende, mit seiner ganzen Person öffent-

---

[8] Veröffentlicht in: Der Gärtner. Zeitschrift für Gemeinde und Familie, 89. Jg. Nr. 48 (Witten 1982) 764.

lich und endgültig unter die Herrschaft des Dreieinen Gottes gestellt zu werden. Gott bestätigt den Getauften als sein Eigentum und vergewissert ihn des Heils.

6. Der Begriff „heilsnotwendig" in Verbindung mit der Taufe ist dem Neuen Testament fremd; er stammt aus späterer Zeit. Auch die Taufhandlung als solche entscheidet nicht über das ewige Heil; dennoch ist die Taufe von Christus geboten.

7. Wir können nach Inhalt und Form nur die Taufe von Glaubenden durch Untertauchen als neutestamentlich bezeichnen. Sie geschieht auf den Namen des Vaters, des Sohnes und des Heiligen Geistes.

8. Wir sehen eine Taufhandlung, bei der der persönliche Glaube des Täuflings fehlt, nicht als Taufe an. Darum ist die Taufe aufgrund des Glaubens keine Wiedertaufe. Taufe ist unwiederholbar. Wenn jemand bereits als Säugling getauft wurde und aufgrund einer vor Gott getroffenen Gewissensentscheidung darin seine Taufe sieht, wird diese Überzeugung geachtet.

9. Weil im Neuen Testament vorausgesetzt wird, dass zum Christsein die Taufe gehört, erwarten wir, dass jedes Gemeindeglied in der Tauffrage eine vor Gott verantwortete Entscheidung im Sinne dieser Leitsätze trifft.

10. Alle christliche Lehrbildung geschieht unter dem Vorbehalt, dass unsere Erkenntnis Stückwerk ist. Das gilt auch für das Taufverständnis in Freien evangelischen Gemeinden. Dennoch wissen wir uns verpflichtet, unserer Taufüberzeugung entsprechend zu lehren und zu handeln, ohne Christen mit anderen Taufauffassungen zu verurteilen.

9. Mülheimer Verband freikirchlich-evangelischer Gemeinden (Gaststatus)

In den Gemeinden des Mülheimer Verbandes freikirchlich-evangelischer Gemeinden (MVfeG) wird die so genannte Gläubigentaufe praktiziert. Das heißt, es werden nur Menschen getauft, die sich im Glauben zu dem gekreuzigten und auferstandenen Jesus Christus als Retter und Herrn bekennen. Nach unserem Verständnis lehrt das Neue Testament die Taufe glaubender Erwachsener (Mt 28,19; Mk 16,16; Apg 2,38; 8,36–38; 22,16).
Die Taufe ist in Tod und Auferstehung Jesu begründet; durch sie wird das Mitgestorben- und Auferstandensein des Glaubenden mit Christus verdeutlicht (Röm 6,1–7. 11–12).
Da nach geltendem Recht in Deutschland Menschen erst ab 14 Jahren religionsmündig sind, empfehlen wir, erst ab diesem Alter zu taufen. Die Taufe wird in der Regel im Rahmen eines festlichen Gottesdienstes durch Untertauchen vollzogen (in einem in der Kirche bzw. den Gemeinderäumen befindlichen Taufbecken, gelegentlich auch in öffentlichen Gewässern, wie z. B. Seen).

Die Taufe ist einmalig und unwiederholbar. Eine Taufe, bei der der persönliche Glaube fehlt, ist nach dem Verständnis des MVfeG keine neutestamentliche Taufe. Darum ist die Taufe glaubender Erwachsener keine „Wiedertaufe". Allerdings respektieren die Gemeinden des MVfeG die Gewissensentscheidung einer bzw. eines Gläubigen, vor Gott und Menschen zur eigenen Kindertaufe zu stehen.

10. Selbstständige Evangelisch-Lutherische Kirche

Christus hat die Taufe eingesetzt. Er hat sich selbst von Johannes taufen lassen und seinen Aposteln zu taufen befohlen. Wenn wir taufen, folgen wir seinem Beispiel und Befehl. Dadurch ist die Taufe nicht in unser Belieben gestellt. Wer getauft wird, wird dadurch „wiedergeboren" zu einem Kind Gottes und der Kirche als dem Leib Christi eingefügt.
Gott schenkt mit der Taufe den Heiligen Geist und bringt dem Täufling Erlösung und ewiges Leben.
Weil der dreieinige Gott durch sein Handeln den Menschen in der Taufe ohne dessen Zutun mit seiner Gnade beschenkt, dürften auch unmündige Kinder davon nicht ausgeschlossen werden. Auch sie haben die Reinigung und Erneuerung nötig, welche die Taufe bringt. Jedes Kind ist unlösbar verkettet mit dem Gesamtschicksal des menschlichen Geschlechts. Es bringt ein Erbe von manchen guten Gaben und manchen Schwächen mit. Es trägt aber auch ein Erbe von Schuld, längst ehe es selber bewusst Sünde tun kann oder die Sünde anderer sieht. Es steht mit der ganzen Menschheit diesseits der großen Kluft, die sich durch den Sündenfall zwischen Gott und der Welt aufgetan hat und die nur Gott überbrücken kann. Darum dürfen Eltern nicht damit warten, ihr Kind zur Heiligen Taufe zu bringen. Gott nimmt es zu seinem Kind an; Christus, der Herr, wäscht es rein von aller mitgebrachten Schuld; der Heilige Geist entzündet in dem Täufling das Licht des Glaubens.
Die Heilige Taufe hat ihre Bedeutung nicht nur am Tauftag selber, sondern das ganze Leben hindurch. Wer als Getaufter leben will, muss immer wieder das Böse in sich überwinden lernen und sich im Glauben Christus zuwenden, der ein neues Leben schenkt.

Eltern und Paten sind Helfer und Fürbitter für den Täufling. Sie vertreten das Kind in Taufgelübde und Taufbekenntnis, versprechen, es christlich zu erziehen, und kümmern sich darum, dass es zur Konfirmation in der evangelisch-lutherischen Kirche gelangt.

11. Herrnhuter Brüdergemeine

Kurze Darstellung der Tauftheologie der Herrnhuter Brüdergemeine anhand von Auszügen aus der Kirchenordnung der Europäisch-Festländischen Brüder-Unität:

1. In der durch Jesus Christus eingesetzten Taufe wird die Gnade unseres Herrn Jesus Christus und die Liebe Gottes und die Gemeinschaft des Heiligen Geistes zugesprochen. Sie bedeutet Teilhabe an Tod und Auferstehung Jesu Christi und ist Zeichen des neuen Lebens, das er uns schenkt. (KO § 1660, 1)
So wird die Taufe in den Tod und die Teilhabe an der Auferstehung Jesu mit Wasser vollzogen im Namen des Vaters und des Sohnes und des Heiligen Geistes.
(vgl. KO § 100 c)

2. Die Gemeinde, in deren Gegenwart ein Kind getauft wird, soll durch ihre Teilnahme an dieser Handlung deutlich machen, dass sie mit den Eltern zusammen die Verpflichtung übernimmt, das Kind in der Pflege und Weisung des Herrn zu erziehen. (KO § 676)
Die Relevanz der Gemeinde in der Taufhandlung drückt sich in der Taufkatechese aus. Sie macht in Fragen und Antworten zwischen der/dem Liturgin/Liturgen und der Gemeinde deutlich, was die Taufe bedeutet, und ist eine Erinnerung an die eigene Taufe. Die Gemeinde wird ebenso wie die Eltern und Paten gefragt, ob sie die Verantwortung für den Glaubensweg des Kindes übernehmen will. Die Liedverse, die um den Taufakt und den Taufsegen gesungen werden, unterstreichen diese Aufgabe.

3. Für den Empfang des Heils gehören Taufe und Glaube zusammen. Wie der Glaube, so ist auch die Taufe zugleich Gottes Gabe und unsere menschliche Antwort darauf. Die Taufe ist ein Anfang, der ausgerichtet ist auf das Hineinwachsen in die Gemeinschaft mit Christus und der Gemeinde. (KO § 1660, 2)
Alle Kinder sind von Gott zur Fülle des Lebens in seinem Reich berufen. Die von christlichen Eltern stammenden Kinder haben Anteil an dem Bund zwischen Gott und seinem Volk, der durch die Kirche auf Erden dargestellt wird. Ihre sichtbare Eingliederung in die Kirche, den Leib Christi, wird im Sakrament der Taufe vollzogen. (KO § 675)
Bei der Konfirmation bekennen die als Kinder Getauften öffentlich ihren Glauben an Jesus Christus als Herrn und Heiland und werden in die Abendmahlsgemeinschaft aufgenommen, falls die Aufnahme nicht schon vorher stattgefunden hat. (KO § 680)
Erwachsene, die als Kinder nicht getauft worden sind, sollen auf ihren Antrag und nach einem gründlichen Unterricht in die Heilswahrheiten getauft werden. Sie werden durch ihre Taufe in die christliche Kirche als abendmahlsberechtigte Mitglieder aufgenommen. (KO § 678)

4. Für Kinder, für die die Eltern in einem späteren Lebensalter die Taufe

erhoffen, kann in einem Gemeindegottesdienst der Segen Gottes erbeten und die Fürbitte und Mitverantwortung der Gemeinde in geeigneter Form zum Ausdruck gebracht werden.

5. Die Taufe ist Grundlage der Mitgliedschaft in der Brüder-Unität. (vgl. KO § 1003)

Getaufte werden nicht nur Mitglied einer bestimmten Kirche, sondern Glied am Leib Christi. Daher ist die Taufe eine unwiederholbare Handlung. Die Brüder-Unität erkennt die in anderen Kirchen im Namen des dreieinigen Gottes mit Wasser vollzogene Taufe grundsätzlich an. (KO § 1660.3)

12. Mennonitengemeinde Krefeld

Zwar hat die Mennonitengemeinde Krefeld seit über 200 Jahren ausgebildete Theologen als Pfarrer, aber eine explizite mennonitische Tauftheologie gibt es nicht. Akademisch betriebene Theologie ist Mennonitengemeinden fremd. Gleichwohl gibt es theologisches Nachdenken, und die impliziten Elemente einer mennonitischen Tauftheologie lassen sich aus der Praxis erschließen.

Mennoniten taufen nicht Kleinkinder, sondern Jugendliche. Das Mindestalter lag früher höher, ist jetzt seit längerer Zeit auf das vollendete 14. Lebensjahr festgesetzt. Dass dies dem gesetzlichen Alter für religiöse Mündigkeit entspricht, ist sicherlich nicht Grund, sondern beruht auf ähnlicher Einschätzung der persönlichen Reife von Jugendlichen. Eher dürfte die Angleichung an das Alter eine Rolle spielen, in dem evangelische Jugendliche konfirmiert werden.

In dieser Festsetzung eines Mindestalters drückt sich ein zentrales mennonitisches Anliegen aus: Wer getauft wird, soll selbst mitbekommen und begreifen, was an ihm vollzogen wird. Mehr noch: Er soll es bejahen und wünschen. Die verschiedenen Bezeichnungen Glaubenstaufe, Erwachsenentaufe, Taufe Mündiger, Bekenntnistaufe, Freiwilligkeitstaufe akzentuieren auf jeweils unterschiedliche Weise dieses Anliegen.

Wer getauft wird, hat vorher in einem Gespräch darum gebeten (Taufbegehren). Er hat einen Taufunterricht durchlaufen, in dem Grundfragen des Glaubens angesprochen wurden. Auch Teilnahme an Gottesdiensten gehören zu dem Taufunterricht. Denn der Glaube kommt aus dem Hören (Römer 10).

Wichtig ist der Gemeindebezug. Christsein ist schwer vorstellbar ohne Gemeinde; der Glaube braucht und sucht die Gemeinschaft mit anderen Gläubigen. Getauft wird daher im Rahmen eines Gemeindegottesdienstes. Die Gemeinde hört das Taufbekenntnis und wird an die eigene Taufe erinnert, der Täufling bekommt die Unterstützung der Gemeinde zu spüren.

Die Tauffrage der Mennonitengemeinde Krefeld lautet seit rund 100 Jahren: „Willst du als ein rechter Christ dein Leben gestalten im Aufblick zu

Gott und in der Nachfolge Christi, so wie dein freies Gewissen es dir befiehlt?, so antworte Ja." Der Täufling antwortet, kniet nieder, wird getauft und anschließend mit Handschlag aufgerichtet. Dann wird der Taufspruch, der in der Regel von dem Täufling selbst ausgewählt wurde, verlesen. Die Taufe wird trinitarisch und als Besprengungstaufe mit Wasser vollzogen.

Die Tauffrage unserer Gemeinde ist klar vom damaligen Liberalismus geprägt. Sie ist gekennzeichnet vom Verzicht auf theologisch befrachtete Formulierungen, von der Verpflichtung auf ein Leben, das die sittlichen Forderungen des Glaubens zu befolgen versucht sowie von dem Hinweis auf das individuelle, freie Gewissen des Christen, vor dem Glaube und Leben sich verantworten müssen.

In den „Allgemeinen Grundsätzen" der Gemeinde von 1996 heißt es: „Die Entscheidung für die Mitgliedschaft in der Gemeinde soll niemandem abgenommen oder aufgezwungen werden: Die eigene Entscheidung der Täuflinge ist Voraussetzung für den Empfang der Taufe. Die Mitgliedschaft in der christlichen Kirche kann weder durch religiöse noch durch moralische Leistungen verdient werden, doch soll sie verantwortet werden können."

Bei der Vorbereitung des Taufgottesdienstes (Auswahl der Texte, Lieder und Gebete) sind die Jugendlichen in der Regel einbezogen, sie wirken meist auch in den Gottesdiensten selbst mit.

In der Mennonitengemeinde Krefeld werden die Taufen anderer Kirchen als Taufen akzeptiert. Dies geschieht aus der Einsicht in die Unwiederholbarkeit der Taufe, nicht aufgrund der „sakramentalen Identität" einer anderen Kirche. Dass eine als Säugling getaufte Person Mitglied werden möchte und dabei auf einer (erneuten) Taufe besteht, ist in der Praxis der Mennonitengemeinde Krefeld noch nicht vorgekommen. Man würde versuchen, diese Person im Gespräch dazu zu führen, dass sie zu einem nachträglichen Akzeptieren dessen kommt, was mit ihr als Kind geschah.

Vereinzelt werden geistig Behinderte getauft.

In den letzten Jahren hat es einige Taufen Erwachsener gegeben. Das waren Russlandrückwanderer. In seelsorgerlich begründeten Fällen können auch Abweichungen von der beschriebenen Praxis möglich sein. So wurde vor Jahren eine Person aus Russland getauft, die sich für mehrere Wochen zu Besuch in Deutschland aufhielt.

Zweiter Teil

Synoptische Darstellung des Taufverständnisses

Fragebogen

1. Rechtsordnung

1.1 Gibt es eine bindende Taufordnung? Wenn ja, wann und von wem wurde sie beschlossen?

1.2 In welcher Weise wird der Empfang der Taufe dokumentiert? (z. B. Taufbuch oder Register)

1.3 In welchem Zusammenhang stehen Taufe und Kirchenmitgliedschaft in Ihrer Kirche?

1.4 Unter welchen Voraussetzungen erkennt Ihre Kirche die Taufe einer anderen Kirche an?

1.5 Können die Kinder von aus der Kirche Ausgetretenen bzw. von Nichtchristen die Taufe empfangen? Wenn ja, unter welchen Bedingungen?

2. Taufbedingungen

2.1 Welche Voraussetzungen gelten in Ihrer Kirche für den Empfang der Taufe?

2.2 Wie geschieht die Vorbereitung auf den Empfang der Taufe?

2.3 Wer entscheidet über die Zulassung zur Taufe?

2.4 Welche Aufgaben haben bei der Taufvorbereitung/Taufbegleitung: a) die Eltern, b) die Paten oder Taufbegleiter, c) die Gemeinde?

2.5 Welche Bedingungen gelten für die Übernahme des Patenamtes?

2.6 Welche Anzahl von Patinen und Paten ist vorgesehen?

2.7 Gibt es in Ihrer Kirche einen Unterschied zwischen Taufpaten und Taufzeugen?

3. Taufliturgie

3.1 Wie ist in Ihrer Kirche ein Taufgottesdienst aufgebaut? Bitte beschreiben Sie die einzelnen Abschnitte!

3.2 Welchen Platz hat innerhalb der Tauffeier die Predigt?

3.3 Gibt es verbindliche Lesungstexte?

3.4 Hat die Gemeinde bei der Tauffeier eine Aufgabe, die über die Mitfeier hinausgeht?

3.5 Zu welcher Zeit und an welchem Ort findet der Taufgottesdienst statt?

3.6 Werden mehrere Taufbewerber getauft oder ist die Einzeltaufe üblich?

3.7 In welcher Weise unterscheidet sich der Ritus für die Taufe eines Erwachsenen vom Ritus für die Kindertaufe?

3.8 Gibt es einen eigenen Ritus für die Nottaufe bei Lebensgefahr?

3.9 Wie wird die Taufe vollzogen?
a) Übergießen mit Wasser; b) Besprengen mit Wasser; c) Untertauchen im Wasser. Bitte beschreiben Sie den Vollzug!

3.10 Wie lautet die Taufformel?

3.11 Gibt es außer dem Amtsträger andere Spender der Taufe?

4. Hinführende und ausdeutende Zeichen und Handlungen

4.1 Gibt es hinführende und ausdeutende Zeichen und Handlungen, die die Taufhandlung umrahmen?

4.2 Begrüßung der Taufbewerber/innen und ihrer Familien

4.3 Bitte um die Taufe von den Taufbewerbern/innen bzw. deren Eltern

4.4 Erfragung des Namens der Taufbewerber/innen

4.5 Bezeichnung mit dem Kreuzzeichen als Zeichen der Aufnahme in die christliche Kirche/Gemeinde

4.6 Anrufung der Heiligen

4.7 Fürbitten

4.8 Handauflegung und Gebet um die Gabe des Heiligen Geistes

4.9 Taufwasserweihe

4.10 Taufspruch

4.11 Gibt es Formen der Tauferinnerung oder Tauferneuerung?
(Feier des Tauftages, Feier des Namenstages, Weihwasser, Erneuerungsversprechen in der Osternacht etc.)

Orthodoxe Kirche	Äthiopisch-Orthodoxe Kirche in Deutschland	Armenische Kirche in Deutschland	Römisch-Katholische Kirche

1. Rechtsordnung
1.1 Gibt es eine bindende Taufordnung? Wenn ja, wann und von wem wurde sie beschlossen?

Orthodoxe Kirche	Äthiopisch-Orthodoxe Kirche in Deutschland	Armenische Kirche in Deutschland	Römisch-Katholische Kirche
Ja. Durch die Konzilien der Alten Kirche. Die Taufliturgie der orthodoxen Kirche hat in ihrem Kern die alte liturgische Tradition der Kirche bewahrt. In der handschriftlichen Überlieferung lassen sich Veränderungen und Abweichungen vorwiegend in den Riten vor und nach der Taufe feststellen, die z. T. erst im zweiten Jahrtausend hinzugefügt wurden. Diese Ergänzungen haben allerdings, wie ein Vergleich mit dem ältesten vollständigen Taufformular in der Kirchenordnung des heiligen Hippolytos von Rom (um 220) zeigt, die Grundstruktur der Taufliturgie nicht verändert. Die Texte gehen auf eine Zeit zurück, in der die Erwachsenentaufe der Regelfall war und die Initiationsriten (Taufe, Myronsalbung [Firmung], Eucharistie) eine enge liturgische Verbindung darstellten, die in der orthodoxen Kirche bis heute auch bei der Kindertaufe bewahrt wurde. Alternativtexte sind nicht vorhanden.	Das überkommene kanonische Recht der Äthiopisch-Orthodoxen Kirche setzt voraus, dass die Gläubigen getauft sind. „Wenn jemand nicht aus Wasser und Geist geboren wird, kann er nicht in das Reich Gottes kommen" (Joh 3,5), also auch nicht Mitglied der Kirche sein. Nach der überlieferten apostolischen Tradition, die wiederum auf jüdische Vorschriften zurückgreift, sollen Knaben nach 40 Tagen, Mädchen nach 80 Tagen getauft werden, wobei gleichzeitig Reinigungsriten für die Mutter durchgeführt werden. In enger Anlehnung an die koptische Kirche wird auch die Bluttaufe anerkannt.	Ja, es gibt eine bindende Regelung für die Taufe im Maschdoz (Sakramentenbuch), der Agende für Kasualien in der armenischen Kirche. Die Anfänge des Maschdoz gehen bis ins 4. Jahrhundert zurück. Seit dem 11. Jahrhundert wurden an den Agenden keine größeren Veränderungen mehr vorgenommen.	Für das deutsche Sprachgebiet wurden folgende Taufordnungen durch die zuständigen Bischofskonferenzen erlassen: – Die Feier der Kindertaufe in den Katholischen Bistümern des Deutschen Sprachgebietes, hg. im Auftrag der Bischofskonferenzen Deutschlands, Österreichs und der Schweiz und des Bischofs von Luxemburg, 1971; – Die Feier der Eingliederung Erwachsener in die Kirche, hg. von den Liturgischen Instituten Salzburg-Trier-Zürich, Studienausgabe, 2., durchgesehene und nach CIC 1983 korrigierte Auflage, 1994.

Anglikanische Kirche	Alt-Katholische Kirche	Evangelische Kirche im Rheinland (uniert)/ Evangelische Kirche von Westfalen (uniert)	Lippische Landeskirche (reformiert)
Ja. Letzte Revision: 1978, Act of General Convention of ECUSA, basiert auf dem ursprünglich katholischen Ritus, der nach der englischen Reformation aus dem Lateinischen übertragen wurde.	Ja. Die zur Zeit verbindliche Ordnung für die Feier der Kindertaufe wurde von der ständigen Liturgischen Kommission erarbeitet, 1991 veröffentlicht und durch den Bischof in Kraft gesetzt. Eine Revision der Erwachsenentaufe ist in Arbeit.	Die geltende Taufordnung für die Evangelische Kirche von Westfalen wurde von der Landessynode 2002 beschlossen: „Kirchengesetz über die Verwaltung des Sakraments der heiligen Taufe – Taufordnung". Vorausgehend dazu hat die Landessynode 2002 auch die Artikel der Kirchenordnung über „Die heilige Taufe" (Art. 177–183) neu gefasst. In der EKiR gelten: Artikel 31–33 der Kirchenordnung und §§ 14–19 des Lebensordnungsgesetzes.	Ja: festgehalten in der „Lebensordnung der Lippischen Landeskirche". Beschlossen am 27. November 1990 von der Synode der Lippischen Landeskirche.

Evangelisch-methodistische Kirche	Bund Evangelisch-Freikirchlicher Gemeinden (Baptisten)	Bund Freier evangelischer Gemeinden	Mülheimer Verband freikirchlich-evangelischer Gemeinden

1. Rechtsordnung
1.1 Gibt es eine bindende Taufordnung? Wenn ja, wann und von wem wurde sie beschlossen?

Ja. Sie wurde von der Zentralkonferenz 1989 beschlossen.	Nein, die Regelung liegt bei den Ortsgemeinden. Die Verfassung des Bundes legt in ihrer Präambel lediglich eine gemeinsame Überzeugung fest: „Zu den Gemeinden gehören Menschen, die an Jesus Christus als ihren Herrn und Retter glauben und aufgrund ihres Bekenntnisses getauft sind." Weitere Übereinstimmungen sind enthalten in der „Rechenschaft vom Glauben". Die Verfassung wurde 1992 und die „Rechenschaft vom Glauben" 1995 beschlossen. Beschlussfassendes Gremium ist der Bundesrat.	Eine bindende Taufordnung gibt es im Bund FeG nicht, da es sich um einen kongregationalistischen Bund selbstständiger Ortsgemeinden handelt. Es gibt als Orientierungshilfe für die Gemeinden „Leitsätze zur Taufe". Die Leitsätze sind 1982 von der Bundesleitung und der Dozentenschaft des Bundes erarbeitet worden. Die jeweilige Ordnung einer Ortsgemeinde wird von deren Gemeindemitgliederversammlung beschlossen.	Nein. Es gibt lediglich eine Empfehlung. Die „Leitlinien zur Taufe" wurden vom Leitungsgremium des CGV 1987 in Niedenstein beschlossen.

Selbstständige Evangelisch-Lutherische Kirche	Herrnhuter Brüdergemeine	Mennonitengemeinde Krefeld
Als Taufagende ist die Agende III der Vereinigten Evangelisch-Lutherischen Kirche Deutschlands (VELKD) von 1964 in Gebrauch – allerdings ist ihre Verwendung durch Sonderbestimmungen eingeschränkt. Ein Entwurf einer eigenen Taufagende ist in den letzten Jahren erarbeitet worden und zur Erprobung freigegeben. Die Sonderbestimmungen zur Agende III der VELKD sind von der Kirchenleitung der SELK am 15.9.1972 angenommen worden. Der Entwurf einer eigenen Taufagende, der von der Liturgischen Kommission der SELK erarbeitet worden ist, wurde im Jahr 2002 von der Kirchenleitung und dem Kollegium der Superintendenten der SELK zur Erprobung freigegeben.	Ja. Die Taufe ist verbindlich geregelt in der Church Order, der Kirchenordnung der weltweiten Brüder-Unität. Beschlussfassendes Gremium ist die Synode (weltweit, dann untergeordnet provinzial). Die Taufregelung besteht seit der ersten Kirchenordnung im 18. Jahrhundert; Angleichungen in der Ausführung sind im Laufe der Jahre hinzugefügt worden (letztmals 1995 Dar-es-salam). Die Taufe ist darin vermerkt in den §§ 56, 100c, 675–679.	In unserer Gemeinde gibt es eine Regelung für die Taufe, die allenfalls nach ausführlichen Beratungen und Beschlüssen im Leitungsgremium der Gemeinde veränderbar wäre. Sie ist in dieser Form seit ca. 1910 in Geltung. Beschlussfassendes Gremium ist das Leitungsgremium der Gemeinde.

Orthodoxe Kirche	Äthiopisch-Orthodoxe Kirche in Deutschland	Armenische Kirche in Deutschland	Römisch-Katholische Kirche

1.2 In welcher Weise wird der Empfang der Taufe dokumentiert? (z. B. Taufbuch oder Register)

Orthodoxe Kirche	Äthiopisch-Orthodoxe Kirche in Deutschland	Armenische Kirche in Deutschland	Römisch-Katholische Kirche
Neben den Taufregistern der Kirchengemeinden und dem Taufschein, der den Eltern bzw. dem Täufling ausgehändigt wird, führt das Bistum (z. B. die Griechisch-Orthodoxe Metropolie von Deutschland) üblicherweise auch ein zentrales Taufregister. In den kommunistischen Staaten war eine Registrierung der Taufe nicht erwünscht.	Die Taufe wird im Taufbuch registriert.	Die Taufe wird ins Taufregister eingetragen und dem Täufling wird eine Taufurkunde ausgehändigt.	Die Taufe wird im Taufbuch der Pfarrei, in der sie gespendet wurde, mit laufender Nummer als Ersteintrag verzeichnet. Hat der Täufling seinen Wohnsitz in einer anderen Pfarrei, so erfolgt eine entsprechende Benachrichtigung. Es erfolgt außerdem ein pfarramtlicher Eintrag im Familienstammbuch (Taufbescheinigung).

Anglikanische Kirche	Alt-Katholische Kirche	Evangelische Kirche im Rheinland (uniert)/ Evangelische Kirche von Westfalen (uniert)	Lippische Landeskirche (reformiert)
Taufregister der Pfarrei.	Die Pfarrämter führen ein Taufbuch bzw. im „Kirchenbuch" ein Taufregister.	Die Taufe wird in das Kirchenbuch der Kirchengemeinde eingetragen, in der die Taufe vollzogen wird. Gehört der Täufling zu einer anderen Kirchengemeinde, erhält diese entsprechend Nachricht. Außerdem wird dem Täufling bzw. den Eltern eine pfarramtliche Bescheinigung (Taufurkunde) ausgehändigt.	Jede vollzogene Taufe ist in das Kirchenbuch der Gemeinde einzutragen, in der die Taufe vorgenommen wurde. Wohnen die Eltern des Täuflings nicht in dieser Gemeinde, so ist die Kirchengemeinde, in der sie ihren ständigen Wohnsitz haben, zu benachrichtigen. Über die vollzogene Taufe wird ein Taufschein ausgestellt.

Evangelisch-methodistische Kirche	Bund Evangelisch-Freikirchlicher Gemeinden (Baptisten)	Bund Freier evangelischer Gemeinden	Mülheimer Verband freikirchlich-evangelischer Gemeinden

1.2 In welcher Weise wird der Empfang der Taufe dokumentiert? (z. B. Taufbuch oder Register)

Evangelisch-methodistische Kirche	Bund Evangelisch-Freikirchlicher Gemeinden (Baptisten)	Bund Freier evangelischer Gemeinden	Mülheimer Verband freikirchlich-evangelischer Gemeinden
Es wird ein Taufschein für das Familienstammbuch ausgestellt. Es erfolgt eine Eintragung im Kirchenbuch unter der Rubrik „Taufe", wie auch unter der Rubrik „Kirchenangehörige", wo die Taufe ebenfalls registriert wird (als Begründung für die Kirchenzugehörigkeit). Es wird aufgrund der Taufe und der damit zusammenhängenden Kirchenzugehörigkeit eine Karteikarte auf den Täufling ausgestellt, auf der ebenfalls die Taufe vermerkt ist. Ferner wird eine Doppelkarte mit Denkspruch zur Erinnerung an den Tag der Taufe ausgestellt.	Im Gemeinderegister mit den Personaldaten, dem Taufdatum und im Allgemeinen auch mit dem Taufspruch. Der Täufling erhält eine Taufkarte mit diesen Daten ausgehändigt.	Dies wird durch die jeweilige Ortsgemeinde festgelegt. In der Regel wird dem Täufling eine Bescheinigung über seine Taufe ausgestellt (Klappkarte mit Taufspruch, persönlichen Daten, Unterschrift des Täufers und Siegel der taufenden Gemeinde). Bei Gemeindegliedern ist die Taufe in der Mitgliedskartei vermerkt: Zum Teil führen die Gemeinden ein Register über Taufen und Kasualien.	Die Dokumentation wird in den Gemeinden unterschiedlich gehandhabt, z. B. werden Listen bez. der Amtshandlungen geführt.

Selbstständige Evangelisch-Lutherische Kirche	Herrnhuter Brüdergemeine	Mennonitengemeinde Krefeld
Die Taufe wird im Kirchenbuch beurkundet.	Die Taufe wird im Kirchenbuch eingetragen, die Mitgliedschaft im Mitgliedsverzeichnis (mit Taufdatum).	Der Empfang der Taufe wird in einem Taufbuch notiert. Die ersten Eintragungen im alten Taufbuch beginnen mit dem Jahr 1701.

Orthodoxe Kirche	Äthiopisch-Orthodoxe Kirche in Deutschland	Armenische Kirche in Deutschland	Römisch-Katholische Kirche

1.3 In welchem Zusammenhang stehen Taufe und Kirchenmitgliedschaft in Ihrer Kirche?

Die Taufe stiftet Kirchenmitgliedschaft: Sie ist Verwandlung des Menschen und der Welt in der Kirche und über die Kirche hinaus. Im Taufgottesdienst findet auch die Myronsalbung statt. Am Ende des Gottesdienstes oder anlässlich der ersten Göttlichen Liturgie findet die erste hl. Kommunion des Täuflings statt. Durch die drei Mysterien (Sakramente) der christlichen Initiation wird das Kind zum Vollmitglied der Kirche.	Die Taufe bedingt die Kirchenmitgliedschaft.	Durch die Taufe wird der Getaufte unwiderruflich Kirchenmitglied.	Der Empfang der Taufe begründet die Kirchenmitgliedschaft. Durch den Empfang der Sakramente Firmung und Eucharistie wird der Getaufte vollends in die Kirche eingegliedert.

Anglikanische Kirche	Alt-Katholische Kirche	Evangelische Kirche im Rheinland (uniert)/ Evangelische Kirche von Westfalen (uniert)	Lippische Landeskirche (reformiert)
Durch Taufe wird der Kandidat zum Christen und Kirchenmitglied.	Der Empfang der Taufe begründet die Kirchenmitgliedschaft.	Durch die Taufe wird die Kirchenmitgliedschaft erworben: „Die Taufe führt in die Gemeinschaft der Glaubenden durch das verkündigte Wort, dem die Getauften mit ihrem Leben antworten." (Taufordnung der EKvW).	Die Taufe begründet die Zugehörigkeit zur Kirche und wird im Gottesdienst der Gemeinde vollzogen. Nur in besonders begründeten Einzelfällen (z. B. Krankheit des Täuflings) sollte von dieser Regel abgewichen werden. Die Taufe eröffnet den Zugang zum Abendmahl. Die Beendigung einer Kirchenmitgliedschaft durch den Kirchenaustritt macht die Taufe nicht ungeschehen.

Evangelisch-methodistische Kirche	Bund Evangelisch-Freikirchlicher Gemeinden (Baptisten)	Bund Freier evangelischer Gemeinden	Mülheimer Verband freikirchlich-evangelischer Gemeinden

1.3 In welchem Zusammenhang stehen Taufe und Kirchenmitgliedschaft in Ihrer Kirche?

Der Empfang der Taufe begründet die Kirchenmitgliedschaft. Die Evangelisch-methodistische Kirche hat Taufe und Kirchenmitgliedschaft in einer systematisch-theologischen Weise einander zugeordnet. Im Blick auf die Kirchenmitgliedschaft ist zu unterscheiden zwischen der Taufe im Kindesalter und der Taufe von Erwachsenen. Die Kindertaufe entspricht dabei dem Zuspruch des Evangeliums. Sie macht deutlich, dass die Annahme und Zusage von Gott der Antwort des Glaubens zeitlich wie sachlich immer vorausgeht. Bei der Erwachsenentaufe erfolgt erst die Taufe, dann jedoch sogleich der die Aufnahmepraxis widerspiegelnde liturgische Teil. Kirchenmitgliedschaft ohne Taufe gibt es in der Evangelisch-methodistischen Kirche nicht.	Die Mitgliedschaft in der Ortsgemeinde wird durch die Taufe begründet; sie gilt zugleich für die anderen Ortsgemeinden des BEFG sowie für Baptistengemeinden des Baptistischen Weltbundes.	Beides ist jeweils gebunden an den persönlichen Christusglauben. Von daher sollten auch Taufe und Mitgliedsaufnahme miteinander verbunden sein, müssen es aber nicht, aufgrund der Offenheit für alle Christusglaubenden, der unterschiedlichen Taufauffassungen der Kirchen und der Gewissensfreiheit des Einzelnen.	Taufe ist in der Regel Voraussetzung zur Gemeindemitgliedschaft.

Selbstständige Evangelisch-Lutherische Kirche	Herrnhuter Brüdergemeine	Mennonitengemeinde Krefeld
Kirchglied ist derjenige, der in einer Gemeinde der SELK getauft worden ist oder als Getaufter in eine Gemeinde der SELK überwiesen bzw. aufgenommen wird.	Grundlage der Mitgliedschaft in der Brüder-Unität ist die Taufe (§ 1003 KO). Auch Kinder werden durch ihre Taufe Mitglieder der Brüder-Unität; die vollen Rechte und Pflichten übernehmen diese mit 16 Jahren durch eine persönliche Bestätigung der Mitgliedschaft.	Mitglied in unserer Gemeinde können nur getaufte Mitglieder sein; wer in unserer Gemeinde getauft wird, wird dadurch auch als Mitglied in die Gemeinde aufgenommen.

Orthodoxe Kirche	Äthiopisch-Orthodoxe Kirche in Deutschland	Armenische Kirche in Deutschland	Römisch-Katholische Kirche

1.4 Unter welchen Voraussetzungen erkennt Ihre Kirche die Taufe einer anderen Kirche an?

Orthodoxe Kirche	Äthiopisch-Orthodoxe Kirche in Deutschland	Armenische Kirche in Deutschland	Römisch-Katholische Kirche
Alle orthodoxen Mitgliedskirchen der ACK-NRW erkennen die mit Wasser und „im Namen des Vaters und des Sohnes und des Heiligen Geistes" gespendete Taufe einer anderen Kirche an. Diese Anerkennung geschieht derzeit ohne eine formale und verbindliche Erklärung, die der Gesamtorthodoxie vorbehalten ist.	Die Äthiopisch-Orthodoxe Kirche erkennt nach den Beschlüssen der Heiligen Synod nur die Taufen der orthodoxen Kirchen als rechtsgültig vollzogen an; in der ökumenischen Praxis und vom heutigen Selbstverständnis wird jede Taufe einer christlichen Kirche anerkannt, auch wenn dies so noch nicht von der Heiligen Synod beschlossen ist.	Wir erkennen die Taufen anderer christlicher Kirchen an, die auf den Namen des dreieinigen Gottes vollzogen wurden.	Eine durch Übergießen mit oder Untertauchen im Wasser im Namen des dreifaltigen Gottes gespendete Taufe wird als gültig anerkannt.

Anglikanische Kirche	Alt-Katholische Kirche	Evangelische Kirche im Rheinland (uniert)/ Evangelische Kirche von Westfalen (uniert)	Lippische Landeskirche (reformiert)
Taufen anderer Kirchen werden anerkannt.	Grundsätzlich sind wir sehr zurückhaltend mit der Infragestellung der Gültigkeit der in anderen Kirchen gespendeten Taufe, sofern die Tauforderung der anderen Kirche die einmalige und unwiederholbare Taufe im Namen des dreifaltigen Gottes (Matthäus 28,19) durch Übergießen mit oder Untertauchen in Wasser vorsieht.	Eine mit Wasser und auf den Namen des dreieinigen Gottes vollzogene Taufe ist gültig und wird anerkannt.	Die Taufe ist allen christlichen Kirchen gemeinsam und sichtbares Band der Einheit des Leibes Christi. Daher wird die Taufe anderer christlicher Kirchen anerkannt.

Evangelisch-methodistische Kirche	Bund Evangelisch-Freikirchlicher Gemeinden (Baptisten)	Bund Freier evangelischer Gemeinden	Mülheimer Verband freikirchlich-evangelischer Gemeinden

1.4 Unter welchen Voraussetzungen erkennt Ihre Kirche die Taufe einer anderen Kirche an?

Die Evangelisch-methodistische Kirche erkennt die Taufe jeder anderen christlichen Kirche an.	Voraussetzung ist die Taufe auf den dreieinigen Gott. Ihr geht eine bewusste, persönliche Entscheidung im Sinne eines Bekenntnisses des Glaubens an Jesus Christus voraus. Der Vollzug durch Untertauchen oder Begießen spielt im allgemeinen keine Rolle.	Unter der Voraussetzung, dass die Taufe mit Wasser auf den Namen des dreieinen Gottes aufgrund eines persönlichen Glaubensbekenntnisses des Täuflings vollzogen wurde. Wenn jemand als Säugling bzw. ohne persönlichen Glauben getauft wurde und aufgrund einer später im Glauben vor Gott getroffenen Gewissensüberzeugung darin seine Taufe sieht, wird diese Überzeugung geachtet. Bei einem Übertritt werden ergebnisoffene Gespräche geführt. Sie führen entweder zur Aufnahme unter Achtung der Gewissensbindung an die Säuglingstaufe oder aber zu einer Glaubens- und Bekenntnistaufe.	Die Taufe muss im Namen des dreieinigen Gottes vollzogen worden sein. Gewissensentscheidung des Einzelnen bez. der empfangenen Kindertaufe wird akzeptiert.

Selbstständige Evangelisch-Lutherische Kirche	Herrnhuter Brüdergemeine	Mennonitengemeinde Krefeld
Wenn sie mit Wasser auf den Namen des dreieinigen Gottes geschehen ist.	„Die Brüder-Unität erkennt die in anderen Kirchen im Namen des dreieinigen Gottes mit Wasser vollzogenen Taufen grundsätzlich an" (§ 56, 1003, 1660,3 KO).	In der Mennonitengemeinde Krefeld werden Taufen anderer Kirchen mit ganz anderem Taufverständnis anerkannt. In dieser Frage gibt es allerdings innerhalb der Mennonitengemeinden in Deutschland erhebliche Unterschiede. So erkennen Gemeinden z. B. eine gespendete Säuglingstaufe an manchen Orten an, während sie an anderen Orten nicht als Taufe anerkannt wird.

Orthodoxe Kirche	Äthiopisch-Orthodoxe Kirche in Deutschland	Armenische Kirche in Deutschland	Römisch-Katholische Kirche

1.5 Können die Kinder von aus der Kirche Ausgetretenen bzw. von Nichtchristen die Taufe empfangen? Wenn ja, unter welchen Bedingungen?

Orthodoxe Kirche	Äthiopisch-Orthodoxe Kirche in Deutschland	Armenische Kirche in Deutschland	Römisch-Katholische Kirche
In der orthodoxen Kirche ist ein Kirchenaustritt nicht bekannt. Üblicherweise muss ein Elternteil orthodoxen Glaubens sein.	Die Kindertaufe erfolgt auf der Grundlage des Glaubens der Eltern, dennoch können Kinder von Nichtchristen und von Eltern, die aus der Kirche ausgetreten sind, rechtsgültig die Taufe empfangen.	Den Tatbestand des aus der Kirche Ausgetretenen kennen wir in diesem Sinne nicht. Kinder von Nichtgetauften bzw. Nichtchristen können die Taufe erhalten. Bedingung ist, dass ein Taufpate, der zur armenischen Kirche gehört, die Verantwortung für die christliche Erziehung des Täuflings übernimmt.	Im Regelfall gilt, dass die Taufe eines Kindes aufgeschoben werden soll, wenn beide Elternteile ungetauft oder nicht Mitglieder der römisch-katholischen Kirche sind. Als Ausnahme, die eine Taufspendung ermöglicht, hat zu gelten, wenn die Eltern von Kindern die Taufe erbitten und die religiöse Erziehung stellvertretend durch Paten, die der römisch-katholischen Kirche angehören, gesichert ist.

Anglikanische Kirche	Alt-Katholische Kirche	Evangelische Kirche im Rheinland (uniert)/ Evangelische Kirche von Westfalen (uniert)	Lippische Landeskirche (reformiert)
Ja.	Grundsätzlich muss die christliche Erziehung des religionsunmündigen Kindes im Sinne unserer Kirche sichergestellt sein. Darum muss in der Regel wenigstens ein Elternteil alt-katholisch sein.	Grundsätzlich gilt, dass die Taufe eines Kindes zurückgestellt werden soll, wenn weder Vater noch Mutter der evangelischen Kirche angehören (Kirchenordnung EKvW Art. 181). Als Ausnahmeregelung gilt, dass die Taufe dann vollzogen werden kann, wenn anstelle der Eltern ev. Christinnen und Christen für die evangelische Erziehung des Kindes zuverlässig sorgen und das Presbyterium dem Vollzug der Taufe zugestimmt hat. Gegen die Entscheidung des Presbyteriums ist in diesen Fällen Beschwerde bei der Superintendentin/ dem Superintendenten möglich, die dann endgültig entscheiden.	Die Taufe von Kindern wird in der Regel von Eltern oder Alleinerziehenden bzw. Erziehungsberechtigten begehrt, die zur christlichen Gemeinde gehören. Die kirchliche Trauung ist keine Bedingung für die Taufelternschaft. Gehört nur ein Elternteil der evangelischen Kirche an, kann die Taufe vollzogen werden, wenn der andere bzw. sorgeberechtigte Elternteil nicht widerspricht. Sind beide Eltern nicht Mitglied der evangelischen Kirche, kann nur im Ausnahmefall die Taufe vollzogen werden. Das ausdrückliche Einverständnis der Eltern ist notwendig. Außerdem müssen evangelische Paten bereit und in der Lage sein, die Aufgaben der christlichen Erziehung des Kindes zu übernehmen.

Evangelisch-methodistische Kirche	Bund Evangelisch-Freikirchlicher Gemeinden (Baptisten)	Bund Freier evangelischer Gemeinden	Mülheimer Verband freikirchlich-evangelischer Gemeinden

1.5 Können die Kinder von aus der Kirche Ausgetretenen bzw. von Nichtchristen die Taufe empfangen? Wenn ja, unter welchen Bedingungen?

Ja, denn die Zugehörigkeit von Eltern zur Kirche ist keine notwendige Bedingung für die Durchführung der Taufe, wobei jedoch hier nach bestimmten Umständen und nach dem Alter der Kinder zu unterscheiden ist. Wichtig für die Durchführung der Taufe ist, dass sichergestellt ist, dass die Kinder im christlichen Glauben erzogen und sie der Lehre und Unterweisung der Kirche zugeführt werden.	Ja, sofern die Kinder eine eigene Glaubensentscheidung treffen. Entscheidend ist das persönliche Glaubensbekenntnis.	In FeG werden keine Säuglinge und Kleinkinder getauft, da das persönliche Glaubensbekenntnis fehlt. Ansonsten ist die Glaubens- und Bekenntnistaufe unabhängig vom Alter und vom „Status" der Eltern. Die Bedingung zur Taufe ist das persönliche Bekenntnis des Glaubens und das Taufbegehren; bei Kindern unter 14 Jahren auch die Zustimmung der Eltern.	Kinder werden nicht getauft, sondern gesegnet.

Selbstständige Evangelisch-Lutherische Kirche	Herrnhuter Brüdergemeine	Mennonitengemeinde Krefeld
Keinem soll die Taufe verwehrt sein, wenn sie begehrt und eine christliche Erziehung beziehungsweise eine christliche Lebensführung glaubhaft zugesagt wird.	Bei Taufen von Kindern „soll mindestens ein Elternteil abendmahlsberechtigtes Mitglied der Brüder-Unität sein; über Ausnahmen entscheidet der Ältestenrat" (§ 1661, 2b).	Auch Kinder von Eltern, die selbst nicht einer Kirche angehören, können bei uns die Taufe empfangen, da es sich um eine Taufe von Mündigen handelt.

Orthodoxe Kirche	Äthiopisch-Orthodoxe Kirche in Deutschland	Armenische Kirche in Deutschland	Römisch-Katholische Kirche

2. Taufbedingungen
2.1 Welche Voraussetzungen gelten in Ihrer Kirche für den Empfang der Taufe?

Orthodoxe Kirche	Äthiopisch-Orthodoxe Kirche in Deutschland	Armenische Kirche in Deutschland	Römisch-Katholische Kirche
Ein Mindestalter für die Zulassung zur Taufe gibt es nicht. In der orthodoxen Kirche ist die Kindertaufe üblich. Im Fall von Erwachsenentaufen findet Taufunterricht statt. Bewusster Glaube wird für den Empfang der Taufe nicht vorausgesetzt.	Es gibt keine andere Taufbedingung als den Wunsch, Christ zu werden. Bei der Erwachsenentaufe soll ein Kennenlernen des Glaubens vorangehen.	Bei Erwachsenen ist die Taufvorbereitung Voraussetzung für den Empfang der Taufe.	Eine dem Alter des Täuflings entsprechende Taufvorbereitung ist für die Taufspendung Voraussetzung. Im Fall der Taufe von Kleinkindern ist im Rahmen des Taufgesprächs mit Eltern und Paten darüber Klarheit zu gewinnen, ob ein ernsthaftes Taufbegehren vorliegt und ob begründete Hoffnung auf eine Kindererziehung im katholischen Glauben besteht. Bei der Erwachsenentaufe ist neben der Taufbitte, der Kenntnis der christlichen Glaubenswahrheiten sowie der Pflichten der christlichen Lebensweise die Bewährung in einem Katechumenat gefordert (vgl. CIC can. 865).

Anglikanische Kirche	Alt-Katholische Kirche	Evangelische Kirche im Rheinland (uniert)/ Evangelische Kirche von Westfalen (uniert)	Lippische Landeskirche (reformiert)
Keine.	In der Regel muss wenigstens ein Elternteil des religionsunmündigen Kindes der alt-katholischen Kirche angehören. Beide Elternteile müssen die Mitgliedschaft und die christliche Erziehung ihres Kindes in unserer Kirche wollen. Religionsmündige Kinder und Erwachsene müssen sich zum christlichen Glauben bekennen und die Mitgliedschaft in unserer Kirche wollen.	Der Vollzug der Taufe setzt eine dem Alter des Täuflings angemessene Taufvorbereitung voraus: Bei der Taufe von Kleinkindern das Gespräch mit den Eltern und Paten, aus dem hervorgeht, dass die Taufe ernsthaft begehrt wird und die Bereitschaft zur evangelischen Erziehung des Kindes vorhanden ist. Daneben sind vor der Taufe die Paten zu bestellen. Der Taufe Erwachsener geht eine Taufunterweisung voraus.	Bei Erwachsenen: Einführung in den christlichen Glauben, das Zeugnis der Heiligen Schrift und das Leben der Gemeinde vor der Taufe. Bei Säuglingen: Taufgespräch mit den Eltern und wenn möglich mit den Paten des Kindes, in dem auf die Bedeutung der Taufe und die zu übernehmende Verpflichtung zur Erziehung im christlichen Glauben hingewiesen wird. Bei Jugendlichen: Tauf- bzw. Konfirmandenunterricht.

Evangelisch-methodistische Kirche	Bund Evangelisch-Freikirchlicher Gemeinden (Baptisten)	Bund Freier evangelischer Gemeinden	Mülheimer Verband freikirchlich-evangelischer Gemeinden

2. Taufbedingungen
2.1 Welche Voraussetzungen gelten in Ihrer Kirche für den Empfang der Taufe?

Bedingung ist, dass die christliche Unterweisung des Täuflings zu erwarten ist. Folgende Tauffragen sind zu beantworten: „Liebe Eltern, ihr bringt euer Kind zur Taufe. Damit übernehmt ihr die Aufgabe, es im Geist des Evangeliums zu erziehen und unterweisen zu lassen. Wollt ihr es mit dem christlichen Glauben und mit einem Leben vertraut machen, das diesem Glauben entspricht? Wollt ihr ihm dafür ein Beispiel geben und ihm helfen, Jesus Christus als den Herrn seines Lebens zu finden? Versprecht ihr das, so weit es in euren Kräften steht, so antwortet: Ja, mit Gottes Hilfe."	Das persönliche Glaubensbekenntnis zu Jesus Christus als dem Herrn und Erlöser sowie die eigene Entscheidung, sich taufen zu lassen, Glied der Ortsgemeinde zu werden und der Wille, den eigenen Glaubens- und Lebensweg am Wort Gottes zu orientieren.	Die Taufe kann nur vollzogen werden aufgrund des persönlichen Glaubens, der durch Gottes Wort und Geist erweckt wird und zugleich dankbare und gehorsame Antwort des Menschen ist.	Bezeugung der Wiedergeburt (Bekehrung), Bekenntnis des Glaubens an den dreieinigen Gott.

Selbstständige Evangelisch-Lutherische Kirche	Herrnhuter Brüdergemeine	Mennonitengemeinde Krefeld
Siehe 1.5.	a) „Alle Kinder sind von Gott zur Fülle des Lebens in sein Reich berufen. Die von christlichen Eltern stammenden Kinder haben Anteil an dem Bund zwischen Gott und seinem Volk, der durch die Kirche auf Erden dargestellt wird. Ihre sichtbare Eingliederung in die Kirche wird im Sakrament der Taufe vollzogen" (§ 675 KO). b) „Erwachsene, die als Kinder nicht getauft worden sind, sollen auf ihren Antrag und nach einem gründlichen Unterricht in den Heilswahrheiten getauft werden" (§ 678 KO).	Das Mindestalter für alle, die in unserer Gemeinde getauft werden, beträgt 14 Jahre. Voraussetzung für den Empfang der Taufe ist laut Gemeindeordnung die Teilnahme am Unterricht, der darauf vorbereitet. Es gibt indes Ausnahmen, beispielsweise im Fall schwerer Krankheit oder Behinderung.

Orthodoxe Kirche	Äthiopisch-Orthodoxe Kirche in Deutschland	Armenische Kirche in Deutschland	Römisch-Katholische Kirche

2.2 Wie geschieht die Vorbereitung auf den Empfang der Taufe?

Orthodoxe Kirche	Äthiopisch-Orthodoxe Kirche in Deutschland	Armenische Kirche in Deutschland	Römisch-Katholische Kirche
Bei der Kindertaufe: Taufgespräch mit den Eltern und – wenn möglich – dem Paten. Bei der Erwachsenentaufe: Unterricht.	Das Taufgespräch mit den Eltern oder der Taufunterricht bei der Erwachsenentaufe hat seelsorglichen und glaubenstärkenden Charakter.	Die Vorbereitung wird entweder durch Taufunterricht in Gruppen oder im Einzelgespräch vorgenommen. Der zuständige Geistliche prüft den erwachsenen Täufling darüber, ob er die ihm vermittelten Informationen über das Taufsakrament und dessen Spendung verstanden und akzeptiert hat.	Vor der Taufe von Kleinkindern wird mit den Eltern ein Taufgespräch (s. 2.1) geführt. Bei Erwachsenen geht der Taufspendung ein Unterricht zur Einführung in den Glauben (= Katechumenat) voraus.

Anglikanische Kirche	Alt-Katholische Kirche	Evangelische Kirche im Rheinland (uniert)/ Evangelische Kirche von Westfalen (uniert)	Lippische Landeskirche (reformiert)
Die Vorbereitung ist abhängig von Priester und Gemeinde. Im Allgemeinen findet ein Taufgespräch mit den Eltern des Kindes oder eine Taufvorbereitung für ein älteres Kind/einen Erwachsenen statt.	Das Gespräch mit den Eltern über die Taufe ihres Kindes ist unverzichtbarer Teil der Taufvorbereitung. Inhalt, Umfang und Ziele dieser Vorbereitung der Eltern auf die Taufe ihres Kindes sind, obwohl dies in manchen Fällen wünschenswert erscheint, noch nicht durch allgemeine Regelungen oder allgemeinen Brauch festgelegt. Die Taufe Erwachsener oder religionsmündiger Kinder geschieht nach individueller Taufvorbereitung, die auch einen entsprechenden Unterricht umfasst.	Die christliche Gemeinde ist verantwortlich für die angemessene Einführung in den Glauben und das Leben der Gemeinde. Die Art der Taufvorbereitung und Unterweisung ist abhängig vom Alter des Täuflings: Bei der Taufe eines Säuglings oder eines Kleinkindes führt der Pfarrer/die Pfarrerin vor der Taufe ein Taufgespräch mit den Eltern und Paten. Dabei werden Grund, Bedeutung und Ordnung der Taufe besprochen und die Eltern und Paten auf ihre Verantwortung hingewiesen für das christliche Zeugnis gegenüber dem Täufling und der Verpflichtung zur Erziehung im christlichen Glauben. Wird ein heranwachsendes Kind getauft, so soll es dem Alter entsprechend in das Gespräch und die Taufvorbereitungen einbezogen werden. Bei ungetauften Kindern, die am Konfirmationsunterricht teilnehmen, kann der kirchliche Unterricht als Taufunterweisung gelten. Die Taufe selbst kann im Konfirmationsgottesdienst oder während der Zeit des kirchlichen Unterrichts erfolgen. Erwachsene werden vor dem Empfang der Taufe mit Zuspruch und Anspruch des Evangeliums	Bei Kindern, Jugendlichen und Erwachsenen: Taufgespräche und Taufunterricht entsprechend dem Lebensalter des Täuflings. Bei Säuglingen: s. 2.1
			Evangelische Kirche im Rheinland (uniert)/ Evangelische Kirche von Westfalen (uniert)
			und den Lebensvollzügen der Gemeinde vertraut gemacht. Sie sind zur Teilnahme am gemeindlichen Leben eingeladen.

Evangelisch-methodistische Kirche	Bund Evangelisch-Freikirchlicher Gemeinden (Baptisten)	Bund Freier evangelischer Gemeinden	Mülheimer Verband freikirchlich-evangelischer Gemeinden

2.2 Wie geschieht die Vorbereitung auf den Empfang der Taufe?

Grundsätzlich finden Taufgespräche statt, wobei zwischen der Taufe von Kindern einerseits und der Taufe von Jugendlichen und Erwachsenen andererseits zu unterscheiden ist. Bei der Taufe von Kindern wird mit den Eltern noch einmal die Bedeutung der Taufe und das systematisch-theologische Taufverständnis der Evangelisch-methodistischen Kirche besprochen (siehe Abschnitt „Rechtsordnung", Frage 1.3). Der Taufunterricht beginnt dann ja später mit der Sonntagsschule und kontinuierlicher Kinderarbeit bis hin zum späteren zweijährigen kirchlichen Unterricht. Bei der Taufe von Jugendlichen oder Erwachsenen gibt es in der Regel umfassende Taufgespräche. Dabei ist zu bedenken, dass sich zur Taufe und damit ja auch zur Aufnahme meldende Personen in der Evangelisch-methodistischen Kirche schon über Jahre an Gottesdiensten, Bibelstunden und Hauskreisen teilgenommen haben. Sie haben somit schon eine lange Zeit der Unterweisung hinter sich.	Mit dem Taufbewerber wird ein Taufgespräch geführt, in dem es um das persönliche Glaubensbekenntnis, die willentliche Entscheidung zur Taufe und den Wunsch geht, das eigene Leben im Glauben an Jesus Christus zu führen. Die meisten Gemeinden laden die Taufbewerber zu einem Taufunterricht ein, der der Vertiefung des Glaubens, der Erkenntnis von der Bedeutung der Taufe und der Vorbereitung auf den Taufgottesdienst dient. Zumeist wird in Absprache mit dem Taufbewerber ein Taufpartner zugeordnet, der persönlichen Kontakt hält.	Häufig bestehen schon längere Zeit vorher seelsorgliche Kontakte und Begleitung, entweder durch den Pastor, einen Ältesten oder Mitarbeiter; spätestens aber mit dem Begehren, getauft zu werden, wird auch das Gespräch mit dem Pastor gesucht. Mit dem Täufling wird über den Taufwunsch, die Bedeutung der Taufe und die Voraussetzungen zur Taufe gesprochen. Oft geschieht dies in einer persönlichen Gesprächsreihe oder in letzter Zeit häufiger in Taufseminaren.	Taufseminar, Taufgespräch.

Selbstständige Evangelisch-Lutherische Kirche	Herrnhuter Brüdergemeine	Mennonitengemeinde Krefeld
Vor der Taufe spricht der Pfarrer mit den Eltern über den Sinn der Taufe und die Aufgaben der christlichen Erziehung. Zu diesem Gespräch sind die Paten nach Möglichkeit hinzuzuziehen. Der Taufe von Erwachsenen und älteren Kindern geht eine Unterweisung voraus.	a) Eltern melden das Kind beim Gemeinhelfer (Pfarrer) an. Der Taufe gehen Gespräche mit Eltern und, wenn möglich, Paten voraus. Kinder, die später getauft werden, erhalten einen ihrem Alter angemessenen Taufunterricht. b) Erwachsene werden nach ihrem Antrag und nach einem gründlichen Unterricht in den Heilswahrheiten getauft.	Voraussetzung für den Empfang der Taufe ist laut Gemeindeordnung die Teilnahme am Unterricht, der darauf vorbereitet. Es gibt indes Ausnahmen, beispielsweise im Fall schwerer Krankheit oder Behinderung. Wer getauft werden möchte, begründet dies in einem persönlichen Gespräch mit einem Pfarrer/einer Pfarrerin.

Orthodoxe Kirche	Äthiopisch-Orthodoxe Kirche in Deutschland	Armenische Kirche in Deutschland	Römisch-Katholische Kirche

2.3 Wer entscheidet über die Zulassung zur Taufe?

Der Gemeindepfarrer, im Fall der Erwachsenentaufe der Katechet bzw. der Beichtvater.	Der berufene Priester entscheidet über die Zulassung zur Taufe, wobei es aber im Grunde keine Veranlassung gibt, die gewünschte Taufe nicht zu vollziehen. Da nach der Überzeugung der Äthiopisch-Orthodoxen Kirche die Taufe nur zum Heile gereicht, gibt es keinen Grund, die Spendung einer Taufe zu versagen. Bei der Erwachsenentaufe soll der Priester eine gewisse Überprüfung der Kenntnisse vornehmen.	Der für die Taufe zuständige Gemeindepfarrer.	Im Regelfall entscheidet über die Zulassung zur Taufe der Pfarrer, in dessen Gebiet der Täufling seinen Wohnsitz hat. Soll die Taufe außerhalb der Wohnsitzpfarrei gespendet werden, so gibt die Erlaubnis zur Taufe der Pfarrer, der in diesem Gebiet zuständig ist.

Anglikanische Kirche	Alt-Katholische Kirche	Evangelische Kirche im Rheinland (uniert)/ Evangelische Kirche von Westfalen (uniert)	Lippische Landeskirche (reformiert)
Der Priester.	Bei der Anmeldung religionsunmündiger Kinder zur Taufe entscheidet im Gespräch mit den Eltern bzw. Erziehungsberechtigten der zuständige Ortspfarrer. In seltenen Fällen kann sich im Gespräch die Einsicht ergeben, dass eine Taufe – evtl. noch – nicht sinnvoll ist. Die Anmeldung zur Taufe Religionsmündiger wird von Pfarrer und Kirchenvorstand angenommen.	Im Regelfall entscheidet hierüber der Gemeindepfarrer/die Gemeindepfarrerin, in dessen/deren Gemeinde der Täufer wohnt. In dem Ausnahmefall, dass die Eltern eines zu taufenden Kindes nicht der Kirche angehören, ist die Zustimmung des Presbyteriums Voraussetzung. Gegen die Entscheidung eines Pfarrers/einer Pfarrerin die Taufe zurückzustellen ist Einspruch beim Presbyterium möglich. Gegen dessen Entscheidung ist die Beschwerde beim Superintendenten/bei der Superintendentin möglich, die letztgültig entscheiden.	Der Pfarrer oder die Pfarrerin, in dessen oder deren Bezirk der Täufling wohnt. Wenn die Taufeltern oder der Täufling einen anderen Pfarrer oder eine andere Pfarrerin wählen, ist ein Abmeldeschein (Dimissoriale) des zuständigen Pfarrers oder der zuständigen Pfarrerin erforderlich. Die Erteilung des Dimissoriale darf aus Gründen abgelehnt werden, aus denen eine Taufe abgelehnt wird. Hat der Pfarrer oder die Pfarrerin Bedenken, die Taufe zu vollziehen, führt er bzw. sie eine Entscheidung des Kirchenvorstands herbei. Gegen diese Entscheidung kann Beschwerde beim Landeskirchenamt eingelegt werden. Dieses entscheidet nach Anhörung des Superintendenten oder der Superintendentin endgültig und teilt dem betreffenden Kirchenvorstand die Begründung dafür mit. Entscheidet sich der Kirchenvorstand oder das Landeskirchenamt für eine Zulässigkeit der Taufe, so ist der zuständige Pfarrer oder die zuständige Pfarrerin nicht verpflichtet, die Taufe vorzunehmen.

Evangelisch-methodistische Kirche	Bund Evangelisch-Freikirchlicher Gemeinden (Baptisten)	Bund Freier evangelischer Gemeinden	Mülheimer Verband freikirchlich-evangelischer Gemeinden

2.3 Wer entscheidet über die Zulassung zur Taufe?

Der Pastor/die Pastorin.	Die Gemeindeversammlung aufgrund des persönlichen Zeugnisses des Taufbewerbers, der Erfahrungen aus Taufgespräch und -unterricht und der Erkenntnisse, die der Taufpartner über die Glaubwürdigkeit gewonnen hat.	Der Pastor bzw. die Gemeindeleitung. In der Regel wird der Täufling seinen Wunsch zur Taufe über den Pastor, einen Ältesten (Mitglied der Gemeindeleitung) oder einen Mitarbeiter an die Gemeindeleitung herantragen. Ob diese sich der Empfehlung des entsprechenden Seelsorgers anschließt oder sich auf andere Weise eine Überzeugung verschafft, ist in der Praxis verschieden. Meist sind die Taufwilligen bereits in der Gemeinde bekannt.	Ältestenschaft der Ortsgemeinde.

Selbstständige Evangelisch-Lutherische Kirche	Herrnhuter Brüdergemeine	Mennonitengemeinde Krefeld
Der Pfarrer – in Zweifelsfällen nach Anhörung des Kirchenvorstandes.	In unstrittigen Fällen (Kindertaufe, Mitgliedschaft der Eltern, begründetes Begehren eines Erwachsenen) der Gemeinhelfer für den Ältestenrat, in anderen Fällen der Ältestenrat.	Über die Zulassung zur Taufe entscheidet das Leitungsgremium der Gemeinde.

Orthodoxe Kirche	Äthiopisch-Orthodoxe Kirche in Deutschland	Armenische Kirche in Deutschland	Römisch-Katholische Kirche

2.4 Welche Aufgaben haben bei der Taufvorbereitung/Taufbegleitung: a) die Eltern, b) die Paten oder Taufbegleiter, c) die Gemeinde?

Orthodoxe Kirche	Äthiopisch-Orthodoxe Kirche in Deutschland	Armenische Kirche in Deutschland	Römisch-Katholische Kirche
a) Die Wahl der Paten ist eine der wichtigsten Aufgaben der Eltern. Gemeinsam mit den Paten sind sie für die Weitergabe des Glaubens verantwortlich. b) Früher war dies die Namenswahl. Gemeinsam mit den Eltern sind die Paten für die Weitergabe des Glaubens verantwortlich. Aufgabe ist die christliche Erziehung des Täuflings. Durch das Patenamt wird im Übrigen eine geistige Verwandtschaftsbeziehung zum Täufling und seiner Familie eingegangen, die auch kirchenrechtliche Folgen hat (z. B. Verbot der Heirat der Taufkinder desselben Paten untereinander). Eine weitere Aufgabe des Paten (bzw. des Täuflings) ist das Sprechen des Glaubensbekenntnisses. Es findet statt nach der „Absage an das Böse" unter Hinwendung gen Osten. Das Glaubensbekenntnis ist unabdingbarer Bestandteil der Tauffeier. c) Gemeinde ist stets missionarisch. In der orthodoxen Kirche ist die Kindertaufe üblich.	In Deutschland hat die Gemeinde bei der Taufvorbereitung praktisch keine Bedeutung; die Eltern, Paten und alle Verwandten und Freunde werden, soweit es möglich ist, einbezogen.	a) und b) Eltern und Paten verpflichten sich mit der Taufe, das Kind im armenisch-apostolischen Glauben zu erziehen. c) Die Gemeinde ist Zeuge der Taufe und Gemeinschaft, die den Täufling aufnimmt.	a) und b) Es ist die gemeinsame Aufgabe der Eltern und Paten dafür zu sorgen, dass das getaufte Kind immer tiefer in den Glauben hineinwächst, dessen Zeichen in der Taufe an ihm vollzogen wird. Bei der Tauffeier wirken sie besonders durch Absage an das Böse, Bekenntnis des Glaubens, Gebet und Segnung des Kindes mit. c) Der Gemeinde kommt im Taufgottesdienst keine eigene Funktion zu, da der Teilnehmerkreis im Regelfall die Angehörigen und Freunde des Täuflings nicht übersteigt. Der taufende Priester erklärt stellvertretend für die Gemeinde die Aufnahme der Getauften in die Pfarrgemeinde (CIC can. 843: Eingliederung in die Kirche). Die Gemeinde ist aber insgesamt in die Pflicht genommen durch entsprechende Angebote (katechetische Kindergottesdienste, Sakramentenkatechese, Kinder- und Jugendgruppen) die von den Eltern begonnene Einführung in Glaube und Gemeinde aufzugreifen, zu ergänzen und fortzusetzen.

Anglikanische Kirche	Alt-Katholische Kirche	Evangelische Kirche im Rheinland (uniert)/ Evangelische Kirche von Westfalen (uniert)	Lippische Landeskirche (reformiert)
Unterstützende Aufgaben/christliches Vorbild.	a) Die Eltern müssen die Taufe wollen und zur christlichen Erziehung des Kindes bereit sein. b) Die Paten müssen während der Tauffeier ihre Bereitschaft erklären, den Eltern bei der Erfüllung der Aufgabe einer christlichen Erziehung beizustehen. „Taufbegleiter" sind in unserer Tauforndnung nicht vorgesehen. c) Die Gemeinde bekennt sich in der Tauffeier zu ihrer Aufgabe, durch ihr Beispiel, durch ihre Hilfe und durch ihre Unterstützung im Gebet dem Täufling den Nährboden für seinen Glauben zu bereiten.	a) und b) Sie verpflichten sich gemeinsam dafür zu sorgen, dass das getaufte Kind sich der Bedeutung der Taufe bewusst wird: Sie beten für das Kind und mit ihm. Sie sprechen mit ihm über die Taufe und ihre Bedeutung. Sie helfen ihm zu einem altersgemäßen Zugang zum Glauben und zur Gemeinde. So nehmen sie ihre Verantwortung für die evangelische Erziehung und Unterweisung des Täuflings wahr. c) Die Gemeinde ist verantwortlich für eine angemessene, v. a. dem Lebensalter entsprechende Einführung in den christlichen Glauben und das gemeindliche Leben. Außerdem sollen der Pfarrer/ die Pfarrerin die Eltern bei der Suche nach geeigneten Paten unterstützen, wenn sie selbst diese nicht benennen können. In diesen Fällen sind Mitglieder der Gemeinde, besonders des Presbyteriums, um die Übernahme des Patenamtes gebeten. An der Taufe nimmt die Gemeinde teil mit dem Lob Gottes, mit dem Bekenntnis des Glaubens und mit ihrer Fürbitte.	a) Eltern: Taufgespräch bei Säuglings- und Kleinkindtaufe (s. o.). b) Paten: Die Taufpaten können die Taufe bezeugen. Die Paten sollen zusammen mit den Eltern dafür sorgen, dass das getaufte Kind einen Zugang zum christlichen Glauben und zur evangelischen Gemeinde findet und sich so der Bedeutung seiner Taufe bewusst wird. c) Gemeinde: Die Taufverantwortung ist Aufgabe der ganzen Gemeinde. Die Gemeinde ist die Bezugsgröße der Taufe. Jede Tauhandlung ist zugleich Tauferinnerung für die schon getauften Gemeindeglieder.

Evangelisch-methodistische Kirche	Bund Evangelisch-Freikirchlicher Gemeinden (Baptisten)	Bund Freier evangelischer Gemeinden	Mülheimer Verband freikirchlich-evangelischer Gemeinden

2.4 Welche Aufgaben haben bei der Taufvorbereitung/Taufbegleitung: a) die Eltern, b) die Paten oder Taufbegleiter, c) die Gemeinde?

a) Die Eltern haben die Tauffragen zu beantworten und damit ihr Versprechen zu geben, das Kind im Geist des Evangeliums zu erziehen und es unterweisen zu lassen. Es wird ihnen freigestellt, sich mit noch anderen Beiträgen am Taufgottesdienst zu beteiligen. b) Zitat aus der Einführung zur Taufagende: „Das Amt des Taufpaten kennt die Evangelisch-methodistische Kirche nicht; diesen Dienst übernimmt die Gemeinde. Gegen Taufzeugen, die von der Familie benannt sind, besteht kein Einwand, wenn die Eltern die Tauffragen beantworten." c) Die Gemeinde leistet ein Versprechen im Anschluss an die Beantwortung der Tauffragen durch die Eltern. Zitat aus der Taufliturgie: „Liebe Gemeinde, wir nehmen heute durch die Taufe (Name) in unsere Gemeinschaft auf. Lasst ihn/sie bei euch Heimat finden. Ihr übernehmt damit die Aufgabe, (Name) durch Wort und Beispiel im Glauben an Jesus Christus zu unterweisen, für ihn/sie zu beten und ihn/sie auf seinem/ihrem Weg zu begleiten. Versprecht ihr das, soweit es in euren Kräften steht, so antwortet: Ja, mit Gottes Hilfe."	a) Keine spezifische Aufgabe; von christlichen Eltern wird erwartet, dass sie die Entscheidung ihres religionsmündigen Kindes unterstützen. b) Der Taufpartner hält persönlichen Kontakt, begleitet den Taufbewerber seelsorgerlich und hilft mit seinen Erfahrungen auf dem Weg des Glaubens und zur Gemeindemitgliedschaft. Manche Gemeinden legen diese Begleitung auf den Zeitraum von einem halben bis zu einem Jahr bei regelmäßigen wöchentlichen Treffen fest. Solcher Begleitung wird ein Arbeitsheft, z. B. „Am Anfang des Weges", zugrunde gelegt. c) Vornehmlich die Begleitung durch Fürbitte und Zuwendung. Sie bestimmt den Taufpartner und sorgt für Glaubenskurse.	a) Entfällt. b) Entfällt, da die FeG ein spezielles Taufpatenamt bzw. Taufbegleiter oder Taufzeugen im engeren Sinne nicht kennen; „Taufzeuge" ist gewissermaßen die ganze Gemeinde; vereinzelt wählen sich die Täuflinge persönliche Taufbegleiter/Taufzeugen. c) Siehe 2.2 und 2.3.	Gebet der Gemeinde.

Selbstständige Evangelisch-Lutherische Kirche	Herrnhuter Brüdergemeine	Mennonitengemeinde Krefeld
a) Die Eltern bitten für das Kind um die Taufe und melden es beim Pfarramt an. Die Eltern wählen die Paten aus. Die Eltern handeln als Stellvertreter für den Säugling bei der Taufe. Die Eltern verpflichten sich, als Fürsprecher in der Fürbitte Gott um seinen Segen für das Kind zu bitten und für die christliche Erziehung zu sorgen. b) Die Paten handeln als Stellvertreter für den Säugling bei der Taufe. Die Paten sind Taufzeugen. Die Paten verpflichten sich, als „Miteltern" bei der christlichen Erziehung des Kindes zu helfen und als Fürsprecher in der Fürbitte Gott um seinen Segen für das Kind zu bitten. c) Die Gemeinde wird aufgefordert, im Gebet für den Täufling einzutreten.	a) Die Eltern: werden durch Gespräche eingewiesen in ihre Rolle als christliche Eltern. b) Die Paten: Nachweis der Patenberechtigung, Anwesenheit bei der Tauffeier, Zeugendienst für die Taufe, fürbittende Begleitung des Täuflings, im Waisenfall: Annahme des Täuflings. c) Die Gemeinde: Taufen finden in der Regel als öffentliche Gemeindeversammlungen statt – Taufe gliedert auch in den vorfindlichen Leib Christi ein.	Die Gemeinde bietet Taufunterricht an, die Eltern sollen Jugendliche begleiten, mit ihnen im Gespräch sein im Blick auf die Taufe, Teilnahme an Gottesdiensten fördern. Patenamt gibt es in der Gemeinde nicht, es sei denn als private Regelung einzelner Familien.

Orthodoxe Kirche	Äthiopisch-Orthodoxe Kirche in Deutschland	Armenische Kirche in Deutschland	Römisch-Katholische Kirche

2.5 Welche Bedingungen gelten für die Übernahme des Patenamtes?

Die Mitgliedschaft in der orthodoxen Kirche. Nicht-Christen können nicht Paten sein.	Es ist notwendig, dass Taufpaten, die der Äthiopisch-Orthodoxen Kirche angehören, zugegen sind. Nichtchristliche Taufpaten gibt es nicht. Eine Taufe ohne Taufpaten ist nicht möglich. Kann von den Eltern oder sonstigen Verwandten kein Taufpate gestellt werden, übernimmt die Kirche selbst die Patenschaft, sodass eine rechtsgültige Taufe vollzogen werden kann.	Der Taufpate muss getauft und Kirchenmitglied der armenisch-apostolischen Kirche sein.	Da die Paten den Eltern in der religiösen Erziehung der Kinder beistehen sollen, gilt als Mindestvoraussetzung, dass sie der römisch-katholischen Kirche angehören, die Sakramente der christlichen Initiation Taufe, Firmung und Eucharistie empfangen haben und ein Leben führen, das dem Glauben entspricht. Wer aus der römisch-katholischen Kirche ausgetreten ist, kann das Patenamt nicht ausüben (CIC can. 874). Ein orthodoxer Christ kann das Patenamt übernehmen, wenn gleichzeitig ein(e) katholische(r) Pate/Patin vorhanden ist (vgl. Ökumenisches Direktorium 1993, Nr. 98 b).

Anglikanische Kirche	Alt-Katholische Kirche	Evangelische Kirche im Rheinland (uniert)/ Evangelische Kirche von Westfalen (uniert)	Lippische Landeskirche (reformiert)
Sie sollten getaufte Christen sein.	Die Paten sollen den Eltern des Täuflings bei seiner Erziehung als gläubiges Glied der alt-katholischen Gemeinde und dem Täufling selbst auf seinem Lebensweg als alt-katholischer Christ zur Seite stehen. Sie müssen also, auch wenn dies nicht formal festgelegt ist, imstande und bereit sein, diesen Beistand zu leisten. Als Paten können mithin in der Regel nur Alt-Katholiken oder Mitglieder von Kirchen in Betracht kommen, die sich zu den Grundsätzen der Arbeitsgemeinschaft Christlicher Kirchen in Deutschland bekennen.	In der EKvW muss mindestens ein Pate/eine Patin der evangelischen Kirche angehören und zum heiligen Abendmahl zugelassen sein. Glieder einer anderen christlichen Konfession können in besonderen Fällen als weitere Paten zugelassen werden. In der EKiR gilt dies nicht. Bei der Anmeldung zur Taufe ist für die Paten, die der Pfarrer/die Pfarrerin nicht kennt, eine Bescheinigung über die Berechtigung zur Übernahme des Patenamtes vorzulegen.	Pate kann jeder sein, der aufgrund der Konfirmation bzw. der Taufe im religionsmündigen Alter Glied der evangelischen Kirche ist. Auch Mitglieder einer der ACK oder dem ÖRK angehörenden Kirche sind zum Patenamt berechtigt. Mindestens ein Pate soll jedoch der evangelischen Kirche angehören. Tritt ein Taufpate aus seiner Kirche aus und gehört nun keiner christlichen Kirche mehr an, so erlischt zwar die Taufpatenschaft, er bleibt aber Zeuge der Taufe. Andere Gründe für das Erlöschen einer Taufpatenschaft gibt es nicht. (LO III,2).

Evangelisch-methodistische Kirche	Bund Evangelisch-Freikirchlicher Gemeinden (Baptisten)	Bund Freier evangelischer Gemeinden	Mülheimer Verband freikirchlich-evangelischer Gemeinden

2.5 Welche Bedingungen gelten für die Übernahme des Patenamtes?

Entfällt, siehe Antwort zu 2.4 b).	Ein Patenamt im herkömmlichen Sinne gibt es nicht. Taufpartner müssen in der Regel mehrere Jahre Mitglied der Gemeinde sein und sich im Glauben bewährt haben.	Entfällt, siehe Antwort zu 2.4 b).	Es gibt kein Patenamt.

Selbstständige Evangelisch-Lutherische Kirche	Herrnhuter Brüdergemeine	Mennonitengemeinde Krefeld
Voraussetzung für die Übernahme des Patenamtes ist die Taufe des Paten, seine Konfirmation, die Zugehörigkeit zu einer christlichen Kirche, deren Taufpraxis anerkannt ist, und die Berechtigung zur Übernahme des Patenamtes (z. B. durch Vorlage eines Patenscheins). Der Pate muss bereit sein, die Aufgaben des Patenamtes treu zu erfüllen. Es ist darauf zu achten, dass die Paten nach Möglichkeit der evangelisch-lutherischen Kirche angehören. Wenigstens einer der Paten soll Glied der SELK sein.	Abendmahlsberechtigte Mitgliedschaft in einer christlichen Kirche und die Fähigkeit, die Bedeutung und den Ernst der Sache zu verstehen.	Patenamt gibt es in der Gemeinde nicht, es sei denn, als private Regelung einzelner Familien.

Orthodoxe Kirche	Äthiopisch-Orthodoxe Kirche in Deutschland	Armenische Kirche in Deutschland	Römisch-Katholische Kirche

2.6 Welche Anzahl von Patinnen und Paten ist vorgesehen?

Orthodoxe Kirche	Äthiopisch-Orthodoxe Kirche in Deutschland	Armenische Kirche in Deutschland	Römisch-Katholische Kirche
Üblich ist ein Pate/eine Patin. Es können jedoch heutzutage auch mehrere sein.	Es gibt nur einen Taufpaten, der dem gleichen Geschlecht angehören muss.	Einer und zwar männlich. Die Ehefrau des Taufpaten ist dann automatisch Taufpatin.	Vorgeschrieben ist ein Pate/eine Patin. Üblich sind aber meist zwei Personen unterschiedlichen Geschlechts.

2.7 Gibt es in Ihrer Kirche einen Unterschied zwischen Taufpaten und Taufzeugen?

Orthodoxe Kirche	Äthiopisch-Orthodoxe Kirche in Deutschland	Armenische Kirche in Deutschland	Römisch-Katholische Kirche
Die Terminologie „Taufzeuge" ist in der orthodoxen Kirche nicht bekannt. In vielen Gemeinden wird allerdings dem orthodoxen Paten auch ein zweiter nicht-orthodoxer Pate zur Seite stehen.	Der Taufpate (geistlicher Vater oder geistliche Mutter) übernimmt die Verantwortung für die Botschaft Jesu Christi. Für Waisen übernimmt er die Elternschaft. Die Taufzeugen bestätigen den Akt der Taufe.	Nein, es gibt nur Taufpaten, keine Taufzeugen.	Ja. Angehörige der reformatorischen Konfessionen werden zusammen mit dem katholischen Taufpaten als Taufzeugen zugelassen und beide im Taufbuch eingetragen. Hintergrund für diese Unterscheidung von Taufpate bzw. Taufzeuge ist die Mitwirkung des Paten bei der christlichen Erziehung im katholischen Glauben.

Anglikanische Kirche	Alt-Katholische Kirche	Evangelische Kirche im Rheinland (uniert)/ Evangelische Kirche von Westfalen (uniert)	Lippische Landeskirche (reformiert)
Einer oder mehrere.	Wenigstens eine Patin oder ein Pate, traditionell zwei, und wenn es mehr sind, ist es auch nicht schlimm.	In der EKvW werden in der Regel für die Taufe eines Kindes zwei Patinnen und Paten bestellt. In der EKiR gibt es keine Regelung über die Anzahl. In besonderen Fällen genügt die Bestellung eines Paten oder einer Patin. Dieser Einzelpate muss dann jedoch Mitglied der evangelischen Kirche und zum heiligen Abendmahl zugelassen sein.	Keine Angabe.
Nein.	„Taufzeugen" sind in unserer Taufordnung nicht vorgesehen.	Nein, die Paten sind Taufzeugen. In der EKiR ist jedoch auch die nachträgliche Bestellung von Paten möglich.	Siehe 2.4 b).

Evangelisch-methodistische Kirche	Bund Evangelisch-Freikirchlicher Gemeinden (Baptisten)	Bund Freier evangelischer Gemeinden	Mülheimer Verband freikirchlich-evangelischer Gemeinden

2.6 Welche Anzahl von Patinnen und Paten ist vorgesehen?

Entfällt, siehe Antwort zu 2.4 b).	Entfällt, siehe Antwort zu 2.4 b).	Entfällt, siehe Antwort zu 2.4 b).	Entfällt.

2.7 Gibt es in Ihrer Kirche einen Unterschied zwischen Taufpaten und Taufzeugen?

Entfällt, siehe Antwort zu 2.4.	Entfällt, siehe Antwort zu 2.4.	Entfällt, siehe Antwort zu 2.4.	Die versammelte Gemeinde ist Taufzeugin.

Selbstständige Evangelisch-Lutherische Kirche	Herrnhuter Brüdergemeine	Mennonitengemeinde Krefeld
Üblicherweise mindestens zwei.	Zwei bis fünf.	Entfällt, siehe Antwort zu 2.4.
Ja, als Taufzeugen können auch solche Personen hinzugezogen werden, die für die Übernahme des Patenamtes (siehe 2.5) nicht in Frage kommen.	Nein.	Entfällt, siehe Antwort zu 2.4.

Orthodoxe Kirche	Äthiopisch-Orthodoxe Kirche in Deutschland	Armenische Kirche in Deutschland	Römisch-Katholische Kirche

3. Taufliturgie
3.1 Wie ist in Ihrer Kirche ein Taufgottesdienst aufgebaut?

Orthodoxe Kirche	Äthiopisch-Orthodoxe Kirche in Deutschland	Armenische Kirche in Deutschland	Römisch-Katholische Kirche
Der Taufgottesdienst hat folgenden feststehenden Aufbau: a. Anfangssegen b. Friedensektenie mit speziellen Bitten für den Täufling und das Taufwasser c. Stillgebet des Priesters d. Weihe des Taufwassers e. Weihe des Katechumenenöls und Salbung des Täuflings f. Taufe g. Bekleidung h. Myronsalbung i. Prozession um das Taufbecken j. Epistellesung (Röm 6, 3–11) k. Evangelium (Mt 28,16–20) l. Abwaschung (Drei Gebete) m. Haarabschneidung n. Ektenie für den Täufling und seinen Paten o. Entlassung Wenn der Taufe und der Myronsalbung keine Eucharistiefeier folgt, empfängt der Täufling nach dem Evangelium auch die Kommunion. Im Vordergrund steht in der Taufliturgie die Aufnahme in die Kirche und das Heil des Menschen. Die liturgische Form betont den Beginn der Verwandlung in und durch Christus (vgl. Röm 6).	Die Äthiopisch-Orthodoxe Kirche hat ungefähr 18 Liturgien, von denen die meisten auch in einem Taufgottesdienst eingesetzt werden können. Durch diese Vielzahl der Liturgien ist es hier nicht möglich, den Taufgottesdienst allgemeingültig zu beschreiben. Die liturgischen Texte der Gebete entsprechen der Koptischen Kirche, teilweise sind sie auch originär aus dem Glauben der Äthiopisch-Orthodoxen Kirche entstanden. Zum Taufgottesdienst im engeren Sinne gehören das Glaubensbekenntnis, das Vaterunser, die Riten des Exorzismus, die Segnung des Öls und des Wassers und die Fürbitten, wobei diese Elemente zum Teil zur „normalen" Liturgie gehören.	I. **Vorbereitung** Vaterunser Psalmen 50 (51), 130 (131), 24 (25), 25 (26), 26 (27) Hymnus Fürbitte Gebet Segnung des Kreuzes mit der Kette (Die Kette soll aus einem weißen und einem roten Faden bestehen, die das Blut und das Wasser versinnbildlichen, die aus der Seite unseres Herrn am Kreuz ausgegossen wurden.) II. **Präbaptismale Riten** Vor der Kirche Fürbitte Gebet Psalm 21,11 (22,11) Abrenuntiatio (Wir sagen uns los, von dir Satan) Lesung Mt 28,16–20 Glaubensbekenntnis Fürbitte Gebet Einzug in die Kirche Psalm 117 (118) Hymnus Psalm 99 (100) Fürbitte Hymnus Ölweihe Einlassen des Wassers unter dem Psalm 28 (29) Lesungen Ez 36,25–28 Gal 3,24–29 Joh 3,1–8 *(Fortsetzung S. 52)*	1. **Eröffnung der Feier** – Begrüßung – Gespräch mit den Eltern (Taufbitte, Erfragung des Namens, Erfragung der Bereitschaft zur christlichen Erziehung) – Wort an die Paten (Erfragung der Mitwirkung bei der christlichen Erziehung) 2. **Wortgottesdienst** – Lesung – Predigt – Bezeichnung mit dem Kreuzzeichen – Anrufung der Heiligen – Fürbitten, Gebet um Schutz und Bewahrung unter Handauflegung – Salbung mit Katechumenenöl 3. **Spendung der Taufe** – Taufwasserweihe – Absage und Glaubensbekenntnis – Taufe – Salbung mit Chrisam – Überreichung des Taufkleides – Übergabe der brennenden Kerze – Effata-Ritus 4. **Abschluss der Tauffeier** – Vater unser – Segen.

Anglikanische Kirche	Alt-Katholische Kirche	Evangelische Kirche im Rheinland (uniert)/ Evangelische Kirche von Westfalen (uniert)	Lippische Landeskirche (reformiert)
– Begrüßung – Wortgottesdienst – Predigt – Vorstellung und Befragung des/der Kandidaten – Taufversprechen – Fürbitten – Segnung des Wassers – Frage nach dem Namen – Taufe (Taufformel) – Übergießen des Kopfes mit Wasser – Salbung mit Chrisamöl – Entzündung der Taufkerze an der Osterkerze – Gebet der Gemeinde – Willkommen des Täuflings.	– Begrüßung – Vorstellung – Bezeichnung mit dem Kreuzzeichen – Befragen der Eltern und der Paten – Gebet um Schutz und Bewahrung – [Salbung mit Katechumenenöl (ad Lib.)] – [Effataritus (ad Lib.)] – Wortgottesdienst mit Predigt – Taufwassersegnung – Glaubensbekenntnis der Gemeinde – Taufe – Salbung mit Chrisam – Übergabe des Taufkleides – Übergabe der Taufkerze – Fürbitten – Eucharistiefeier oder Abschluss der Tauffeier.	Für die Feier der Taufe gibt es zwei Varianten: Sie wird entweder im Gemeindegottesdienst gefeiert oder als selbstständiger Taufgottesdienst, zu dem die Gemeinde eingeladen ist. Für beide Varianten gilt die folgende Taufliturgie, die entweder in den Gemeindegottesdienst eingefügt wird (z. B. im Eingangsteil, vor oder nach der Predigt) oder beim selbstständigen Taufgottesdienst zum Ende hin erweitert wird um die Fürbitten, das Gebet des Herrn und den Segen. (In eckigen Klammern finden sich jeweils fakultative Teile der Taufliturgie.) **Hinführung:** Begrüßung Vorstellung des Täuflings/ der Taufgruppe Lesung des Taufbefehls nach Mt 28,18–20 Gebet für den Täufling [Lied der Gemeinde] **Zuspruch:** Taufverkündigung Anrede und Verpflichtung [Lied der Gemeinde] **Vollzug der Taufe:** Glaubensbekenntnis [Gebet an der Taufstätte] [Betrachtung an der Taufstätte] [Nennung des Namens] *(Fortsetzung S. 53)*	A) Lesung des Taufbefehls B) Taufverkündigung C) das Bekenntnis des Glaubens an den dreieinigen Gott, das die Täuflinge oder die Eltern und Paten gemeinsam mit der Gemeinde sprechen D) Tauffrage E) die Taufhandlung (dreimaliges Begießen des Täuflings mit Wasser mit der in der lutherischen oder reformierten Agende vorgeschriebenen Taufformel) F) die Fürbitte der Gemeinde für die Täuflinge.

Orthodoxe Kirche	Äthiopisch-Orthodoxe Kirche in Deutschland	Armenische Kirche in Deutschland	Römisch-Katholische Kirche

		(Fortsetzung von S. 50)
		   Fürbitte
		   Gebet
		   Wasserweihe
		   Hymnus
		III. Taufe
		   Ablegen der Gewänder des Täuflings
		   Tauffrage an Täufling bzw. Eltern und Pate
		   Taufakt durch dreimaliges Untertauchen des Täuflings
		   Hymnus
		   Lesungen Röm 6,3–11
		   Mt 3,13–17
		   Vaterunser
		   Hymnus
		   Gebet
		IV. Postbaptismale Riten
		   Hymnus
		   Salbung
		   Anlegen weißer Taufgewänder
		   Gebet
		   Dreimalige Niederwerfung am Altar
		V. Eucharistie
		   Täuflingskommunion
		   Ansprache
		   Vaterunser
		   Entlassungssegen	

Anglikanische Kirche	Alt-Katholische Kirche	Evangelische Kirche im Rheinland (uniert)/ Evangelische Kirche von Westfalen (uniert)	Lippische Landeskirche (reformiert)
		(Fortsetzung von S. 51) Taufhandlung Taufvotum mit Handauflegung [und Salbung/mit Kreuzzeichen] Taufspruch **[Sinnzeichen:** Sie sind fakultativ angebotene Zeichenhandlungen zur Deutung der Taufe] **Eingliederung:** Tauferklärung: Öffentliche Proklamation der Taufe und der Aufnahme in die Kirche Willkommen in der Gemeinde Anrede an die Gemeinde: Verpflichtung zu Beistand und Fürbitte [Segnung der Eltern/Paten] Lied der Gemeinde	

Evangelisch-methodistische Kirche	Bund Evangelisch-Freikirchlicher Gemeinden (Baptisten)	Bund Freier evangelischer Gemeinden	Mülheimer Verband freikirchlich-evangelischer Gemeinden

3. Taufliturgie
3.1 Wie ist in Ihrer Kirche ein Taufgottesdienst aufgebaut?

Bei der Taufe von Kindern: Lied Eingangswort liturgischer Verkündigungsteil Gebet Ansprache/Predigt Lied Anrede an Eltern und Gemeinde Glaubensbekenntnis Verlesung des Taufbefehls Verlesung der Tauffragen an die Eltern und an die Gemeinde Taufhandlung Segnung Gebet mit anschließendem Vaterunser Lied Segen. **Bei der Taufe von Jugendlichen und Erwachsenen:** Gemeindelied Schriftlesung Verkündigung Liturgische Vorstellung der Person Glaubensbekenntnis Tauffragen Taufhandlung/Aufnahme in die Kirchengliedschaft Segnung liturgisches Wort an die Gemeinde mit Annahmeversprechen der Gemeinde eventuell eine Passage zur Erneuerung des Taufbundes für die Getauften Segnung Gebet Vaterunser	Taufen sind normalerweise eingebettet in einen Sonntagsgottesdienst. Im Eingangsteil bestimmen Eingangsspruch/-gruß, Lieder der Gemeinde und der Chöre, Lesung und Gebet den Ablauf. Der zweite Teil hat sein Schwergewicht bei der Predigt, verbunden mit Gebet und Lied(ern). Der dritte Teil ist der Taufe gewidmet: Öffentliche Tauffrage an die Täuflinge und Gebet, Taufvollzug (je einzeln in einem Taufbecken durch Untertauchen nach der Nennung des Taufspruches, des Namens und der trinitarischen Taufformel). Der letzte Abschnitt des Gottesdienstes ist ein Gemeinschaftsteil, zu dem Lieder, Fürbittgebete, Bekanntmachungen, Begrüßung der Täuflinge als Glieder der Gemeinde mit Segnung und der gottesdienstliche Schluss gehören. Viele Gemeinden verbinden den Taufgottesdienst mit einer anschließenden Abendmahlsfeier, in der dann die Begrüßung der Täuflinge stattfindet.	Eine festgelegte Liturgie für eine Taufe gibt es nicht. Taufgottesdienste enthalten in der Regel folgende Elemente in unterschiedlicher Ausprägung: Einzug der Täuflinge; Loblieder; Tauflieder; Gebete; Verkündigungsteil (Lesung; Predigt entweder vor oder nach der Taufe); Tauf(bekenntnis)frage; persönliche Zeugnisse der Täuflinge; Taufhandlung durch Untertauchen; Fürbittengebet der Gemeinde; Anbetung Gottes; persönlicher Zuspruch an die Getauften (Taufspruch); häufig auch Herrnmahl (Abendmahl). Die Tauf(bekenntnis)frage ist unterschiedlich ausgestaltet, entweder auf Jesus Christus oder den dreieinen Gott ausgerichtet.	Offene Gestaltungsmöglichkeit, keine Taufliturgie im Sinne einer Agende; z.B.: – Begrüßung – Lobpreis – Predigt – öffentliches Bekenntnis des Glaubens durch den Täufling – Taufe und Taufspruch – Segnung und Bitte um das Wirken des Heiligen Geistes – Lied der Gemeinde – Gebet – Segen.

Selbstständige Evangelisch-Lutherische Kirche	Herrnhuter Brüdergemeine	Mennonitengemeinde Krefeld
Die Taufliturgie gliedert sich in drei Abschnitte, die an verschiedenen Orten des Gotteshauses vollzogen werden können. **I. Eröffnung** Lied Friedensgruß Taufbefehl (Mt 28 mit Mk 16,16) Kreuzeszeichen [Exorzismus] Eingangsgebet **II. Verkündigung** Taufpredigt und Fragen an Eltern und Paten Kinderevangelium (Mk 10,13–16) **III. Vollzug** [Gebet/Betrachtung zum Taufwasser] Glaubensbekenntnis [Erfragung des Namens] Taufe Taufsegen [Taufgewand] [Taufkerze] Schlussgebet Lied [Segen]	Eingangslied – Tauftext und Ansprache zur Taufe – Tauflied – Taufliturgie (in katechetischer Form, feststehende Formulare) mit Taufhandlung und Segen über Täufling und Eltern – Schlussvers. Abriss des liturgischen Formulars: – Katechese – Vers mit Segensbitte für Taufe – Gebet – (gesungen) Segensbitte und Responsorium der Gemeinde – Taufformel – Aussagen zum neuen Leben in Christus – Schriftwort (meist Taufspruch) – Segen über Eltern und Kind – Schlussvers – Gesungene Segensbitte.	Die Gottesdienstordnung entspricht weitgehend der eines normalen Sonntagsgottesdienstes. Taufliturgie: – Orgel – Wort zum Eingang/Begrüßung – Gemeindelied – Lesung – Chor – Gebet – Orgel – Predigt – Gemeindelied – Taufe und Aufnahme in die Gemeinde (Tauffrage: „Willst du als ein rechter Christ dein Leben gestalten im Aufblick zu Gott und in der Nachfolge Christi, so wie dein freies Gewissen es dir befiehlt? Willst du das, so antworte: Ja.") – Chor – Begrüßung der Getauften durch den/die Älteste/n der Gemeinde – Chor – Fürbitten – Gemeindelied – Segensbitte – Gemeindelied – Orgel.

Orthodoxe Kirche	Äthiopisch-Orthodoxe Kirche in Deutschland	Armenische Kirche in Deutschland	Römisch-Katholische Kirche

3.2 Welchen Platz hat innerhalb der Tauffeier die Predigt?

Orthodoxe Kirche	Äthiopisch-Orthodoxe Kirche in Deutschland	Armenische Kirche in Deutschland	Römisch-Katholische Kirche
In der Tauffeier kann eine Homilie stattfinden (zumeist am Ende des Gottesdienstes); diese ist jedoch nicht vorgeschrieben.	Ein Taufgottesdienst muss immer auch ein normaler eucharistischer Gottesdienst sein, weil die Taufe nur gleichzeitig mit der Firmung und der Kommunion gespendet wird. Dazu gehört notwendig auch die Homilie (Predigt).	Die Predigt wird am Schluss des Taufgottesdienstes gehalten.	Die Predigt hat ihren Platz im Regelfall im Wortgottesdienst nach der Schriftlesung vor der Bezeichnung mit dem Kreuzzeichen und den Fürbitten.

3.3 Gibt es verbindliche Lesungstexte?

Orthodoxe Kirche	Äthiopisch-Orthodoxe Kirche in Deutschland	Armenische Kirche in Deutschland	Römisch-Katholische Kirche
Ja, s. 3.1.	In Deutschland wird üblicherweise die heilige Messe in der Apostelliturgie gefeiert, teilweise auch in der Herr Jesus Christus Liturgie und zu Ostern in der Liturgie des Heiligen Dioskoros. In der Fastenzeit werden keine Taufgottesdienste gefeiert, sodass häufig zu Ostern mehrere Taufen gleichzeitig vollzogen werden.	Ja, s. 3.1.	Es gibt eine Perikopenliste mit alttestamentlichen und neutestamentlichen Lesungen sowie eine Auswahl von Texten aus den Evangelien.

Anglikanische Kirche	Alt-Katholische Kirche	Evangelische Kirche im Rheinland (uniert)/ Evangelische Kirche von Westfalen (uniert)	Lippische Landeskirche (reformiert)
Ist abhängig von der jeweiligen Gestaltung des Gottesdienstes.	Kein Gottesdienst ohne Predigt: Die Predigt hat ihren Platz nach den Schriftlesungen und vor der Segnung des Taufwassers und dem Glaubensbekenntnis der Gemeinde.	Als Taufverkündigung erfolgt vor dem Vollzug der Taufe eine Taufansprache, z. B. als Auslegung des Taufspruchs. Im selbstständigen Taufgottesdienst erfolgt die Taufverkündigung durch die Predigt. Ist die Taufe Teil des Gemeindegottesdienstes, so wird die Predigt je nach Einfügung der Tauffeier dieser vorausgehen oder sich nach Abschluss der Taufe anschließen.	Die Taufe kann vor oder nach der Predigt erfolgen.
Nein, die des jeweiligen Sonntags.	Wenn die Taufe während der Eucharistiefeier gespendet wird, sollten die Lesungen des Tages verwendet werden; für den Fall, dass diese Lesungen sich weniger eignen, gibt es eine Perikopenliste zur Auswahl.	Verbindlicher Lesungstext für die Taufe ist der Taufbefehl aus Mt 28,18–20. Das sog. Kinderevangelium (Mk 10,13–16) ist dem Taufbefehl als fakultative Lesung zugeordnet.	Taufbefehl (Mt 28,18–20).

Evangelisch-methodistische Kirche	Bund Evangelisch-Freikirchlicher Gemeinden (Baptisten)	Bund Freier evangelischer Gemeinden	Mülheimer Verband freikirchlich-evangelischer Gemeinden

3.2 Welchen Platz hat innerhalb der Tauffeier die Predigt?

Die Predigt erfolgt vor dem Taufakt und entfaltet in der Regel noch einmal die Bedeutung der Taufe.	In der Regel wird vor der Taufe gepredigt. Die Predigt nimmt Bezug auf die Bedeutung der Taufe und den neuen Stand der Täuflinge in der Nachfolge Jesu Christi.	Die Predigt hat einen zentralen Platz. Sie verkündigt Gottes Wort zu diesem Anlass (auch im Hinblick auf evtl. anwesende Nichtchristen bzw. Ungetaufte). Sie wird je nach Situation, in der die Taufe stattfindet, ihren Schwerpunkt haben: den Täuflingen den Moment der Taufe bewusst machen, der versammelten Gemeinde die Bedeutung der Taufe erklären, insgesamt zur Taufhandlung hinführen bzw. sie ausdeuten.	Hinführung zur Taufe, seelsorgerliche Ermahnung, theologische Grundlegung.

3.3 Gibt es verbindliche Lesungstexte?

Nur bei der Taufe von Kindern: die Verlesung des Taufbefehls aus Mt 28, 18b-20.	Nein. Besondere Texte sind nicht vorgeschrieben; die Auswahl steht dem Prediger frei. Bevorzugt werden jedoch folgende Texte: Mt 3,13–17 (par); Mt 28,16–20; Mk 16,14–20; Joh 3,1–16; Apg 2,37–42; 8, 26–40; 10,34–48; Röm 6,1–11; 1 Kor 1,12–18; 1 Tim 3,4–16; Tit 3,4–8; 1 Petr 1,13–21; 3,18–22.	Nein. Häufige Lesungstexte sind Mt 28,18–20; Röm 6,1–11; Gal 3,26–29; Kol 3,8–17 u. a.	Nein.

Selbstständige Evangelisch-Lutherische Kirche	Herrnhuter Brüdergemeine	Mennonitengemeinde Krefeld
Bei der Taufe von Kindern vor den Fragen an Eltern und Paten, bei der Taufe von Erwachsenen nach dem Eingangsgebet.	Vor der Taufe: auf sie hinweisend und sie auslegend.	Die Predigt geht auf jeden Fall der Taufe voraus.
Ja, s. 3.1. (Bei Erwachsenentaufe statt des Kinderevangeliums: Joh 3,5–8)	Es gibt 5 vorgeschriebene Taufliturgien mit leicht unterschiedlichen Bibeltexten.	Verbindliche Lesungstexte gibt es nicht.

Orthodoxe Kirche	Äthiopisch-Orthodoxe Kirche in Deutschland	Armenische Kirche in Deutschland	Römisch-Katholische Kirche

3.4 Hat die Gemeinde bei der Tauffeier eine Aufgabe, die über die Mitfeier hinausgeht?

Orthodoxe Kirche	Äthiopisch-Orthodoxe Kirche in Deutschland	Armenische Kirche in Deutschland	Römisch-Katholische Kirche
Nein.	Die Gemeinde hat in Deutschland keine spezielle Aufgabe, selbstverständlich können die Gläubigen Gaben mitbringen und so zum Tauffest beitragen.	Nein.	Wird die Taufe während der Eucharistiefeier gespendet, gehört das gemeinsam gesprochene Glaubensbekenntnis als wesentlicher Bestandteil zur Tauffeier dazu.

Anglikanische Kirche	Alt-Katholische Kirche	Evangelische Kirche im Rheinland (uniert)/ Evangelische Kirche von Westfalen (uniert)	Lippische Landeskirche (reformiert)
Die Gemeinde verspricht, mit Gottes Hilfe den Kandidaten im christlichen Leben zu unterstützen und ihm ein Vorbild zu sein.	Die Tauffeier ist Gottesdienst der Gemeinde. Im Eingangsteil der Taufliturgie sollen neben dem Amtsträger, den Eltern und Paten möglichst auch Vertreter der Gemeinde den Täufling mit dem Zeichen des Kreuzes bezeichnen (Ziffer 3.1). Das Glaubensbekenntnis der Gemeinde gemeinsam mit dem Täufling ist als Zeichen der Gemeinschaft im Taufbekenntnis wesentlicher Bestandteil des Gottesdienstes.	Die Gemeinde(glieder) können besonders beteiligt werden – durch die Lesung; – in der Bitte um den Heiligen Geist (in Anlehnung an die Lima-Liturgie: „Anrufung des Geistes"); – bei der Übergabe der Sinnzeichen, z. B. der Taufkerze oder des Taufgewandes – durch das Willkommen, das dem Täufling entboten wird und das damit verbundene Versprechen des Beistandes. Kinder, z. B. Geschwister oder Mitkonfirmanden, können ihrem Alter entsprechend einbezogen werden, z. B. indem sie das Wasser in das Taufbecken gießen.	Mitsprechen des Glaubensbekenntnisses und Fürbitte für den Täufling. Die Gemeinde weiß sich für alle getauften und noch nicht getauften Kinder verantwortlich; darum lädt sie alle Kinder zu Gottesdienst und kirchlichem Unterricht ein.

Evangelisch-methodistische Kirche	Bund Evangelisch-Freikirchlicher Gemeinden (Baptisten)	Bund Freier evangelischer Gemeinden	Mülheimer Verband freikirchlich-evangelischer Gemeinden

3.4 Hat die Gemeinde bei der Tauffeier eine Aufgabe, die über die Mitfeier hinausgeht?

In der Regel singt der Gemeindechor. Oft erfolgt ein Grußwort des Laiendelegierten/der Laiendelegierten an die Jährliche Konferenz und im Anschluss an die Taufhandlung bei Kindern schließt ein Wort des Sonntagsschulleiters an. Bei Jugendlichen und Erwachsenen erfolgt die Begrüßung in der Gemeinde durch zwei Gemeindeglieder durch Bibelwort und Handschlag als Zeichen der Gemeinschaft.	Die Gemeinde beteiligt sich an einer Gebetsgemeinschaft, die von Dank und Fürbitte für die Täuflinge bestimmt ist. Häufig werden Bibelworte oder Segenswünsche den Täuflingen zugesprochen.	In der Regel wirken verschiedene Mitarbeiter bei der Tauffeier mit (Lesung, Gebete, Chor, praktische Hilfen etc.). Die Gemeinde wird zur weiteren Fürbitte und Begleitung ermutigt.	Gebet.

Selbstständige Evangelisch-Lutherische Kirche	Herrnhuter Brüdergemeine	Mennonitengemeinde Krefeld
Nein.	Die Gemeinde antwortet auf die katechetischen Fragen zur Taufe (stellvertretend für einen Säugling), bei Erwachsenentaufe spricht sie mit dem Täufling.	Die Gemeinde ist für den Taufgottesdienst wichtig: Sie stellt stellvertretend die Kirche Christi dar, in die die zu Taufenden aufgenommen werden. Deswegen ist die Taufe im Gemeindegottesdienst verankert.

Orthodoxe Kirche	Äthiopisch-Orthodoxe Kirche in Deutschland	Armenische Kirche in Deutschland	Römisch-Katholische Kirche

3.5 Zu welcher Zeit und an welchem Ort findet der Taufgottesdienst statt?

Die Tauftermine der Alten Kirche (Ostern, Pfingsten, Weihnachten, Theophanie, Palmsonntag) werden durch den Hymnus „Die ihr auf Christus getauft seid, habt Christus angezogen" im Gedächtnis der Kirche bewahrt; heutzutage wird der Tauftermin frei gewählt. Die Taufe findet in der Kirche mit Taufbecken (Kindertaufe) bzw. Baptisterium (Erwachsenentaufe) statt.	Zeit und Ort des Taufgottesdienstes sind nicht vorgeschrieben, abgesehen davon, dass in den Fastenzeiten keine Taufen vollzogen werden.	Es werden eigene Tauffeiern abgehalten oder die Taufe wird im Rahmen der Liturgie an hohen Festtagen gefeiert wie Weihnachten, Ostern, Pfingsten, usw. Ursprünglich wurde nur in der Osternacht getauft. Die Taufe wird in der Gemeindekirche gefeiert; in der Diaspora meist in den Gastkirchen anderer Konfessionen. Die Taufe kann zu jeder Zeit stattfinden und zwar in einer Kirche. Wenn aber der Täufling krank ist, kann in Ausnahmefällen das Taufsakrament auch zu Hause gespendet werden.	Die Taufe wird im Regelfall in der Pfarrkirche gespendet. Einzeltaufe und Taufe mehrerer Kinder in einer Feier sind nach ortsüblicher Absprache möglich. Die Taufe Erwachsener findet in der Regel innerhalb der Eucharistiefeier statt und ist mit der Firmspendung und dem Empfang der Kommunion verbunden. Im Kirchlichen Gesetzbuch wird der Sonntag oder wenn möglich die Osternacht als geeigneter Zeitpunkt für die Taufspendung empfohlen (CIC can. 856).

Anglikanische Kirche	Alt-Katholische Kirche	Evangelische Kirche im Rheinland (uniert)/ Evangelische Kirche von Westfalen (uniert)	Lippische Landeskirche (reformiert)
In der Regel im Sonntagsgottesdienst in der Kirche.	Die Taufe sollte nach Möglichkeit Teil der Eucharistiefeier der Gemeinde sein; ein besonders sinnvoller Termin ist die Osternacht. Auch wenn die Taufe nicht während einer Eucharistiefeier der Gemeinde, sondern im Rahmen eines eigenständigen Gottesdienstes stattfindet, ist bevorzugter Ort die Kirche.	Die Taufe findet in der Regel im sonntäglichen Gemeindegottesdienst statt oder in einem selbstständigen Taufgottesdienst. Ort des Gottesdienstes ist in der Regel die Kirchengemeinde, zu der der Täufling oder die Eltern gehören. Festgelegte Taufzeiten gibt es nicht.	Die Taufe geschieht im Gemeindegottesdienst der jeweiligen Kirche. Haustaufen dürfen nur in begründeten Ausnahmen mit Genehmigung des Kirchenvorstandes vollzogen werden. In Notfällen kann die Taufe außerhalb der Kirche (z. B. im Krankenhaus) in Gegenwart eines oder mehrerer Zeugen vollzogen werden. Sie ist unverzüglich der zuständigen Kirchengemeinde zur Beurkundung mitzuteilen. Mindestens einmal im Monat soll in einem Gottesdienst die Möglichkeit zur Taufe gegeben werden.

Evangelisch-methodistische Kirche	Bund Evangelisch-Freikirchlicher Gemeinden (Baptisten)	Bund Freier evangelischer Gemeinden	Mülheimer Verband freikirchlich-evangelischer Gemeinden

3.5 Zu welcher Zeit und an welchem Ort findet der Taufgottesdienst statt?

Zur gewöhnlichen Zeit des sonntäglichen Gottesdienstes.	Es gibt keine festgelegten Zeiten; bevorzugt werden Karfreitag, Ostern und Silvester; es kann aber jeder Sonntag im Kirchenjahr sein. Der Taufgottesdienst findet in der Regel in der Kirche statt; in Ausnahmefällen wird in der Öffentlichkeit, d. h. an einem See- oder Flussufer, getauft. Taufen in Privathäusern sind nicht üblich.	In der Regel zur Zeit des „normalen" Sonntagsgottesdienstes im Gemeindehaus (immer dann, wenn entsprechende Taufanmeldungen vorliegen). Es wird, falls das eigene Gemeindehaus über kein eigenes Taufbecken zum Untertauchen verfügt, ein anderes, geeignetes Gemeindehaus aufgesucht. Auch Taufen im Freien sind möglich (See, Fluss, Schwimmbad).	Nach dem Eingang von Taufmeldungen, zentral in einer CGV-Gemeinde des Westbundes, im Gottesdienst der Ortsgemeinde bzw. im Freien.

Selbstständige Evangelisch-Lutherische Kirche	Herrnhuter Brüdergemeine	Mennonitengemeinde Krefeld
Taufen finden in der Regel in einem öffentlichen Gottesdienst in der Kirche statt. Als Tauftage eignen sich besonders der 1. Sonntag nach Epiphanias (Taufe des Herrn), die Feier der Osternacht, der 1. Sonntag nach Ostern, das Pfingstfest sowie der 6. Sonntag nach Trinitatis.	Nicht festgelegt, aber in einer allgemeinen Versammlung wie der Predigtversammlung am Sonntagmorgen oder in der Singstunde am Samstagabend.	Traditioneller regelmäßiger Tauftermin ist in der Krefelder Mennonitengemeinde Palmsonntag; darüber hinaus können nach Bedarf Termine auch frei vereinbart werden. Taufgottesdienste finden entweder in der Krefelder Mennonitenkirche oder ggf. auch – bei Außengruppen – in einer evangelischen Kirche statt, wo wir zu Gast sind.

Orthodoxe Kirche	Äthiopisch-Orthodoxe Kirche in Deutschland	Armenische Kirche in Deutschland	Römisch-Katholische Kirche

3.6 Werden mehrere Taufbewerber getauft oder ist die Einzeltaufe üblich?

Orthodoxe Kirche	Äthiopisch-Orthodoxe Kirche in Deutschland	Armenische Kirche in Deutschland	Römisch-Katholische Kirche
Üblich ist – wo immer dies möglich ist – die Einzeltaufe (außer bei Mehrlingskindern).	Wenn es sich ergibt, dass mehrere Taufbewerber vorhanden sind, werden diese gleichzeitig getauft.	Beides ist möglich und üblich.	Beide Formen sind möglich. Aber die Einzeltaufe nimmt ab zugunsten der Taufe mehrerer Täuflinge, um den Gemeindebezug gegenüber der privaten Familienfeier deutlicher zum Ausdruck zu bringen.

Anglikanische Kirche	Alt-Katholische Kirche	Evangelische Kirche im Rheinland (uniert)/ Evangelische Kirche von Westfalen (uniert)	Lippische Landeskirche (reformiert)
Ein Kandidat oder mehrere, keine Regelung.	Wenn mehrere Taufbewerber da sind, werden auch mehrere getauft.	Beides ist möglich.	Je nach Bedarf können ein oder mehrere Täuflinge in einem Gottesdienst getauft werden. Bei mehreren Täuflingen ist die Taufhandlung bei jedem Täufling einzeln auszuführen.

Evangelisch-methodistische Kirche	Bund Evangelisch-Freikirchlicher Gemeinden (Baptisten)	Bund Freier evangelischer Gemeinden	Mülheimer Verband freikirchlich-evangelischer Gemeinden

3.6 Werden mehrere Taufbewerber getauft oder ist die Einzeltaufe üblich?

Evangelisch-methodistische Kirche	Bund Evangelisch-Freikirchlicher Gemeinden (Baptisten)	Bund Freier evangelischer Gemeinden	Mülheimer Verband freikirchlich-evangelischer Gemeinden
Das hängt davon ab, ob sich zufällig gerade mehrere gleichzeitig zur Taufe und Aufnahme anmelden oder nicht.	Wenn keine weiteren Taufbewerbungen vorliegen, wird auch ein Einzelner getauft. Normalerweise sind es mehrere Täuflinge.	In der Regel werden, sofern mehrere Bewerber vorhanden sind, diese in einem Gottesdienst getauft. (Hierbei spielen auch praktische Überlegungen meist eine Rolle, z. B. der Aufwand einer Taufe durch Untertauchen oder die Durchführung eines Taufseminars). Häufig gibt es ein bis zwei Tauftermine pro Jahr, sodass mehrere Taufbewerber zusammenkommen. Mitunter führen benachbarte Gemeinden auch gemeinsame Taufen durch. Es werden aber auch Einzeltaufen durchgeführt.	Taufe mehrerer Taufbewerber.

Selbstständige Evangelisch-Lutherische Kirche	Herrnhuter Brüdergemeine	Mennonitengemeinde Krefeld
Beides ist möglich.	Keine Vorschrift, ob einzeln oder mehrere (je nach Gemeindesituation).	Vorwiegend Taufe in Gruppen, gelegentlich Einzeltaufe.

Orthodoxe Kirche	Äthiopisch-Orthodoxe Kirche in Deutschland	Armenische Kirche in Deutschland	Römisch-Katholische Kirche

3.7 In welcher Weise unterscheidet sich der Ritus für die Taufe eines Erwachsenen vom Ritus für die Kindertaufe?

Die liturgischen Anweisungen unterscheiden nicht zwischen der Kindertaufe und der Erwachsenentaufe. Deshalb folgt auch die Kindertaufe im Prinzip der Ordnung der Erwachsenentaufe. Die Schwierigkeiten, die sich in der Praxis daraus ergeben, führen aber zu gewissen, leichten Modifikationen im Ablauf der Kindertaufe: 1. So wird das Taufkleid meistens erst nach der Myronsalbung (Firmung) statt unmittelbar nach der Taufe verliehen. 2. Die Gebete der Abwaschung und der Schur (Tonsur) – Handlungen, die bei der Taufe von Erwachsenen erst am achten Tag nach der Taufe vollzogen werden – werden vom Liturgen oft schon während der auf die Myronsalbung folgenden Ankleidung des Täuflings gesprochen.	Die Taufe wird vollzogen durch Untertauchen im Wasser. Das nackte Kind wird dreimal untergetaucht. Bei der Erwachsenentaufe sind besondere Vorkehrungen zu treffen.	Im Unterschied zur Säuglingstaufe wird heute bei Erwachsenen auf das dreimalige Untertauchen verzichtet. Dem Täufling wird das Wasser im Namen der Dreieinigkeit dreimal über den Kopf gegossen.	Die Feier der Eingliederung Erwachsener in die Kirche wird im Unterschied zur Kindertaufe in mehreren Stufen vollzogen: 1. Die Feier der Annahme; 2. die Feier der Einschreibung (Bußfeiern, Übergabe des Glaubensbekenntnisses, Übergabe des Herrengebetes); 3. die Feier der Eingliederung (Taufe, Firmung, Eucharistie).

Anglikanische Kirche	Alt-Katholische Kirche	Evangelische Kirche im Rheinland (uniert)/ Evangelische Kirche von Westfalen (uniert)	Lippische Landeskirche (reformiert)
Kein Unterschied, außer dass es keine Taufpaten gibt, sondern Sponsoren.	Der Ritus der Erwachsenentaufe wird zur Zeit überarbeitet. Nur Mündige können bewusst dem Bösen widersagen; darum ist die Absage an das Böse kein Teil der Kindertaufe. (Der Text für die Absage des Bösen befindet sich in der Ordnung der Osternachtfeier.)	Bei der Erwachsenentaufe fehlen Anrede und Verpflichtung für die Eltern und Paten, ebenso deren Segnung. Außerdem fehlt die Nennung des Namens durch Eltern und Paten nach Frage des Pfarrers/ der Pfarrerin. Die Tauffrage wird an den Täufling selbst gerichtet, ebenso auch beim älteren Kind. Fakultativ kann bei der Taufe der Täufling die „Absage an das Böse" vollziehen.	Keine Unterschiede außer beim Sprechen des Glaubensbekenntnisses, das bei der Taufe von Säuglingen und Kleinkindern von den Eltern und Paten anstelle des Täuflings gesprochen wird.

Evangelisch-methodistische Kirche	Bund Evangelisch-Freikirchlicher Gemeinden (Baptisten)	Bund Freier evangelischer Gemeinden	Mülheimer Verband freikirchlich-evangelischer Gemeinden

3.7 In welcher Weise unterscheidet sich der Ritus für die Taufe eines Erwachsenen vom Ritus für die Kindertaufe?

S. Antwort zu 3.1. Bei Kindern erfolgt die Aufnahme in die Gemeinschaft der Kirche und damit in den Status des/der Kirchenangehörigen. Bei Erwachsenen erfolgt im Anschluss an die Taufe die Aufnahme in die Kirchenmitgliedschaft.	Taufe von (unmündigen) Kindern wird nicht gespendet. (Siehe die Antwort zu 2.1)	Entfällt, siehe dazu die Antwort zu 2.1.	Kindertaufe kommt nicht vor.

Selbstständige Evangelisch-Lutherische Kirche	Herrnhuter Brüdergemeine	Mennonitengemeinde Krefeld
Die Taufe von Erwachsenen ist vom Aufbau her ähnlich. Dadurch soll deutlich werden, dass es nur eine Taufe gibt. Die vorbereitenden Handlungen können in zwei besonderen Ordnungen „Aufnahme in den Katechumenat" (mit Kreuzesbezeichnung und Übergabe des Glaubensbekenntnisses) und „Vorstellung vor der Gemeinde" (mit Übergabe des Vaterunsers) einige Wochen zuvor stattfinden.	Persönliches Bekenntnis des Täuflings bei Erwachsenentaufe statt Gemeindebekenntnis.	Entfällt, siehe dazu die Antwort zu 2.1.

Orthodoxe Kirche	Äthiopisch-Orthodoxe Kirche in Deutschland	Armenische Kirche in Deutschland	Römisch-Katholische Kirche

3.8 Gibt es einen eigenen Ritus für die Nottaufe bei Lebensgefahr?

Orthodoxe Kirche	Äthiopisch-Orthodoxe Kirche in Deutschland	Armenische Kirche in Deutschland	Römisch-Katholische Kirche
Ja. Eine abgekürzte Form der unter 3.1 angegebenen Tauffeier. Jene Teile des Gottesdienstes, die während der Nottaufe weggelassen wurden, werden nachgeholt. Eine Wiederholung des Taufaktes selbst ist nicht möglich.	Bei der Nottaufe kommt es nur auf die Taufworte und das Übergießen mit Wasser an.	Nein. Im Notfall (aber nur im Notfall bzw. in Lebensgefahr) hat jeder Getaufte das Recht, jemanden zu taufen, der in Lebensgefahr ist. Es muss aber unbedingt auf den Namen des Dreieinigen Gottes geschehen.	Ja. Die einzelnen Elemente sind: Fürbittengebet – Glaubensbekenntnis – Taufspendung – Übergabe des Taufkleides (Bei akuter Lebensgefahr genügt es, wenn der Taufspender Wasser über den Kopf des Kindes gießt und die trinitarische Taufformel spricht).

Anglikanische Kirche	Alt-Katholische Kirche	Evangelische Kirche im Rheinland (uniert)/ Evangelische Kirche von Westfalen (uniert)	Lippische Landeskirche (reformiert)
Ja.	Nein.	In den Gemeinden der reformierten Tradition ist die Nottaufe nicht üblich. In den anderen Gemeinden (lutherisch oder uniert) können bei drohender Lebensgefahr alle Christinnen und Christen die Taufe vollziehen, möglichst unter Beisein christlicher Zeugen. Voraussetzung der Nottaufe ist, dass der Täufling oder die für ihn Verantwortlichen ihr Einverständnis erklärt haben. Die Taufe wird auf den Namen des dreieinigen Gottes und durch dreimaliges Begießen mit Wasser vollzogen. Friedensgruß und Gebet des Herrn schließen sich an. Falls es die Notlage zulässt, soll zu Beginn der Taufbefehl Christi und das Apostolische Glaubensbekenntnis gesprochen werden.	Unbedingt notwendig ist die dreimalige Übergießung mit Wasser unter Verwendung der trinitarischen Taufformel. Wenn es die Zeit erlaubt, sollte das Glaubensbekenntnis und das Vaterunser gesprochen werden.

Evangelisch-methodistische Kirche	Bund Evangelisch-Freikirchlicher Gemeinden (Baptisten)	Bund Freier evangelischer Gemeinden	Mülheimer Verband freikirchlich-evangelischer Gemeinden

3.8 Gibt es einen eigenen Ritus für die Nottaufe bei Lebensgefahr?

Evangelisch-methodistische Kirche	Bund Evangelisch-Freikirchlicher Gemeinden (Baptisten)	Bund Freier evangelischer Gemeinden	Mülheimer Verband freikirchlich-evangelischer Gemeinden
Nein. Aufgrund der Mündigkeit der Kirchenglieder können diese eine solche im Notfall frei vollziehen. Eine Notwendigkeit zur Nottaufe besteht jedoch nicht.	Eine Nottaufe wird grundsätzlich abgelehnt.	Nein. FeG kennen die Nottaufe nicht, da für sie nicht die Taufe „heilsnotwendig" ist, sondern allein der Christus vertrauende Glaube.	Nein.

Selbstständige Evangelisch-Lutherische Kirche	Herrnhuter Brüdergemeine	Mennonitengemeinde Krefeld
Ja: Taufbefehl Mt 28, Vaterunser mit Handauflegung, Apostolisches Glaubensbekenntnis, Taufformel mit Segen. In Sterbensgefahr genügen das dreimalige Übergießen mit Wasser und die Taufformel.	Nein.	Einen Ritus für Nottaufe haben wir nicht.

Orthodoxe Kirche	Äthiopisch-Orthodoxe Kirche in Deutschland	Armenische Kirche in Deutschland	Römisch-Katholische Kirche

3.9 Wie wird die Taufe vollzogen? a) Übergießen mit Wasser; b) Besprengen mit Wasser; c) Untertauchen im Wasser.

Orthodoxe Kirche	Äthiopisch-Orthodoxe Kirche in Deutschland	Armenische Kirche in Deutschland	Römisch-Katholische Kirche
c) Untertauchen im Taufbecken (Kindertaufe) bzw. Baptisterium (Erwachsenentaufe).	Die Taufe wird vollzogen durch Untertauchen im Wasser (c). Das nackte Kind wird dreimal untergetaucht. Bei der Erwachsenentaufe sind besondere Vorkehrungen zu treffen.	Säuglinge werden dreimal im Taufwasser untergetaucht (c). Beim Untertauchen wird die gesamte Taufformel gesprochen. Bei Erwachsenen wird auf das Untertauchen verzichtet und die Taufe wird durch dreimaliges Übergießen des Kopfes mit Wasser vollzogen. Es gibt für Erwachsene auch eine andere Taufform, bei der der Täufling in einem einfachen weißen Gewand in einem Taufbecken dreimal ins Wasser getaucht wird.	Durch dreimaliges Übergießen des Kopfes mit Wasser (a) oder dreimaliges Untertauchen im Wasser (selten praktiziert) (c).

Anglikanische Kirche	Alt-Katholische Kirche	Evangelische Kirche im Rheinland (uniert)/ Evangelische Kirche von Westfalen (uniert)	Lippische Landeskirche (reformiert)
Unter Umständen sind alle drei Varianten möglich.	Durch dreimaliges Übergießen des Kopfes mit Wasser (a). Dreimaliges Untertauchen des Täuflings ist eine zweite, sicher selten geübte Praxis (c). Eine bloße Besprengung mit Wasser widerspricht altkirchlicher Ordnung.	Das Taufbuch sieht vor, die Taufe durch Übergießen zu vollziehen, in einer für die anwesende Gemeinde sichtbaren Weise (a). Daneben gibt das Taufbuch unter Verweis auf die Gewohnheit der orthodoxen und baptistischen Kirche zu bedenken, ob nicht die Ganzeintauchung (c) künftig gefördert werden sollte.	Dreimaliges Übergießen mit Wasser.

Evangelisch-methodistische Kirche	Bund Evangelisch-Freikirchlicher Gemeinden (Baptisten)	Bund Freier evangelischer Gemeinden	Mülheimer Verband freikirchlich-evangelischer Gemeinden

3.9 Wie wird die Taufe vollzogen? a) Übergießen mit Wasser; b) Besprengen mit Wasser; c) Untertauchen im Wasser.

Evangelisch-methodistische Kirche	Bund Evangelisch-Freikirchlicher Gemeinden (Baptisten)	Bund Freier evangelischer Gemeinden	Mülheimer Verband freikirchlich-evangelischer Gemeinden
Eine Festlegung diesbezüglich hält die Evangelisch-methodistische Kirche nicht für nötig. Bei Kindern überwiegen die Optionen a) und b) bzw. das dreimalige Kreuzeszeichen auf der Stirn des Täuflings mit dem Taufwasser. Bei Erwachsenen kommt es in ganz seltenen Fällen auch zum Untertauchen im Wasser (c).	Durch Untertauchen im Wasser (c); in absoluten Ausnahmefällen (Körperbehinderte) auch durch Begießen mit Wasser (a). In der Kirche ist ein großes Taufbecken vorhanden, das mit angewärmtem Wasser gefüllt wird. Der Täufer steht wie der Täufling im Wasser und taucht den Täufling rücklings mit dem ganzen Körper unter Wasser.	Untertauchen im Wasser (c). Der Täufling im weißen Taufgewand wird aufgerufen und steigt ins Taufbecken zum Täufer. Ein Bibelwort (Taufspruch) wird ihm zugesprochen. Es wird ihm die „Tauf(bekenntnis)frage" (siehe 3.1) gestellt. Er antwortet mit „Ja" und wird durch vollständiges Untertauchen – mit der Taufformel (siehe 3.10) – getauft.	Untertauchen im Wasser (c).

Selbstständige Evangelisch-Lutherische Kirche	Herrnhuter Brüdergemeine	Mennonitengemeinde Krefeld
a) Der Täufer begießt das Haupt des Täuflings dreimal mit Wasser in einer für die Umstehenden sichtbaren Weise.	Durch dreimaliges Übergießen mit Wasser (a).	Taufe erfolgt durch Besprengen mit Wasser (b), Verwendung der trinitarischen Taufformel, Handauflegung.

Orthodoxe Kirche	Äthiopisch-Orthodoxe Kirche in Deutschland	Armenische Kirche in Deutschland	Römisch-Katholische Kirche

3.10 Wie lautet die Taufformel?

„Getauft wird der Knecht Gottes N.N./die Magd Gottes N.N. im Namen des Vaters, Amen; und des Sohnes, Amen; und des Heiligen Geistes, Amen."	Die Taufformel lautet: „Ich taufe Dich … im Namen des Vaters! Ich taufe Dich … im Namen des Sohnes! Ich taufe Dich … im Namen des Heiligen Geistes!" Dieses wird dreimal wiederholt.	„N.N., Knecht Gottes, wird getauft auf den Namen des Vaters und des Sohnes und des Heiligen Geistes; erkauft durch das Blut Christi von der Knechtschaft der Sünde, indem er die Freiheit der Sohnschaft des himmlischen Vaters empfängt, ein Miterbe Christi und ein Tempel deines Heiligen Geistes wird, jetzt und immerdar und in Ewigkeiten."	Der Taufende spricht beim Vollzug der Taufe: „N., ich taufe dich im Namen des Vaters und des Sohnes und des Heiligen Geistes."

Anglikanische Kirche	Alt-Katholische Kirche	Evangelische Kirche im Rheinland (uniert)/ Evangelische Kirche von Westfalen (uniert)	Lippische Landeskirche (reformiert)
„N. I baptize you in the Name of the Father, the Son and the Holy Spirit, Amen.“ (*Name des Täuflings*, ich taufe Dich im Namen des Vaters, des Sohnes und des Heiligen Geistes, Amen.)	Der Taufende spricht beim Vollzug der Taufe: „N., ich taufe dich im Namen des Vaters und des Sohnes und des Heiligen Geistes.“	„N.N., ich taufe dich im Namen des Vaters und des Sohnes und des Heiligen Geistes.“ In reformierten Gemeinden ist die Taufformel üblich: „N.N. Ich taufe dich auf den Namen des Vaters und des Sohnes und des Heiligen Geistes.“	„Ich taufe dich auf den Namen (lutherische Agende: im Namen) des Vaters und des Sohnes und des Heiligen Geistes.“ Eine andere Taufformel ist unzulässig.

Evangelisch-methodistische Kirche	Bund Evangelisch-Freikirchlicher Gemeinden (Baptisten)	Bund Freier evangelischer Gemeinden	Mülheimer Verband freikirchlich-evangelischer Gemeinden

3.10 Wie lautet die Taufformel?

Bei Kindern gibt es zwei Möglichkeiten: A: „Ich taufe dich auf den Namen Gottes, des Vaters, des Sohnes und des Heiligen Geistes. Wir nehmen dich auf in die Gemeinschaft der christlichen Kirche, damit du im Glauben an Jesus Christus erzogen wirst, dich für ihn entscheidest und dich als lebendiges Glied der Kirche bekennst." Oder die Kurzform: B: „Ich taufe dich auf den Namen Gottes, des Vaters, des Sohnes und des Heiligen Geistes." Bei Erwachsenen heißt es: „(Namen) ich taufe dich auf den Namen Gottes, des Vaters, des Sohnes und des Heiligen Geistes. Amen. Wir nehmen dich auf in die Evangelisch-methodistische Kirche. [Und dann entweder] Der Herr verbinde uns zur Gemeinschaft des Glaubens und Dienstes. [Oder] Der Herr vertiefe unsre Gemeinschaft des Glaubens und Dienstes."	Nach Nennung des Taufspruchs – manchmal durch den Taufpartner – wird der Name des Täuflings genannt und die Formel: „Ich taufe dich aufgrund deines Bekenntnisses im Namen des Vaters, des Sohnes und des Heiligen Geistes. Amen." Varianten sind möglich: „Ich taufe dich, N.N., auf das Bekenntnis deines Glaubens im Namen …" oder: „auf den Namen des Vaters, des Sohnes …" Oder: „Nachdem wir das Bekenntnis deines Glaubens gehört haben, taufe ich dich, N.N., im Namen des Vaters und des Sohnes und des Heiligen Geistes. Amen."	In der Regel: „(Im Namen Jesu Christi) taufe ich dich (evtl. Namensnennung) auf den Namen des Vaters und des Sohnes und des Heiligen Geistes. Amen." (Mt 28,19)	„Ich taufe Dich … (aufgrund Deines Bekenntnisses des Glaubens an Jesus Christus) im Namen des Vaters und des Sohnes und des Heiligen Geistes. Amen."

Selbstständige Evangelisch-Lutherische Kirche	Herrnhuter Brüdergemeine	Mennonitengemeinde Krefeld
„N., ich taufe dich im Namen des Vaters und des Sohnes und des Heiligen Geistes."	„In den Tod Jesu taufe ich nun dich, N.N., im Namen des Vaters, des Sohnes und des Heiligen Geistes."	„Ich taufe dich auf den Namen des Vaters, des Sohnes und des Heiligen Geistes."

Orthodoxe Kirche	Äthiopisch-Orthodoxe Kirche in Deutschland	Armenische Kirche in Deutschland	Römisch-Katholische Kirche

3.11 Gibt es außer dem Amtsträger andere Spender der Taufe?

Orthodoxe Kirche	Äthiopisch-Orthodoxe Kirche in Deutschland	Armenische Kirche in Deutschland	Römisch-Katholische Kirche
Taufspender ist der Priester oder der Bischof.	Da die Taufe nur in der Dreiheit von Taufe, Firmung und Eucharistie gespendet wird, kann nur ein geweihter Priester gemeinsam mit einem Diakon die Taufe vollziehen.	Nein.	Im Falle der Nottaufe kann jeder Christ oder jede Christin das Sakrament spenden; auch ein Nichtchrist, wenn er die Absicht hat, das zu tun, was die Kirche in der Taufe tut.

Anglikanische Kirche	Alt-Katholische Kirche	Evangelische Kirche im Rheinland (uniert)/ Evangelische Kirche von Westfalen (uniert)	Lippische Landeskirche (reformiert)
Nur Bischof/Priester, außer im Notfall/bei Lebensgefahr.	Im Falle der Nottaufe kann jede oder jeder taufen.	Die Nottaufe darf jede Christin und jeder Christ spenden.	Die Taufe wird vom ordinierten Pfarrer oder von der ordinierten Pfarrerin oder von einem von der Landeskirche mit der Verwaltung der Sakramente Beauftragten vollzogen. In Notfällen kann die Taufe von jedem getauften erwachsenen Christen vollzogen werden. Dabei sollen andere Personen zugegen sein, die die Taufe bezeugen können.

Evangelisch-methodistische Kirche	Bund Evangelisch-Freikirchlicher Gemeinden (Baptisten)	Bund Freier evangelischer Gemeinden	Mülheimer Verband freikirchlich-evangelischer Gemeinden

3.11 Gibt es außer dem Amtsträger andere Spender der Taufe?

Im Grunde: nein (Ausnahme siehe 3.8).	Grundsätzlich kann die Gemeinde jedes ihrer Mitglieder mit der Taufe beauftragen. Dies ist jedoch die Ausnahme.	FeG verstehen die Gemeinde der Glaubenden im Sinne des allgemeinen Priestertums. Deshalb ist die Taufe nicht an ein bestimmtes Amt gebunden, sondern kann von jedem Glaubenden, der von der Gemeinde dazu beauftragt wird, vollzogen werden. In der Regel tauft der Pastor oder ein Ältester.	In der Regel nicht. Die Spende der Taufe ist allerdings nicht zwingend an den ordinierten Pastor gebunden.

Selbstständige Evangelisch-Lutherische Kirche	Herrnhuter Brüdergemeine	Mennonitengemeinde Krefeld
Die Nottaufe kann jeder Christ vollziehen.	Nein. In besonderen Fällen kann die Kirchenleitung Ausnahmen zulassen.	Die Taufe ist Aufgabe der Pfarrer/innen, könnte in Ausnahmefällen aber auch von anderen beauftragten Gemeindegliedern vollzogen werden.

Orthodoxe Kirche	Äthiopisch-Orthodoxe Kirche in Deutschland	Armenische Kirche in Deutschland	Römisch-Katholische Kirche

4. Hinführende und ausdeutende Zeichen und Handlungen
4.1 Gibt es hinführende und ausdeutende Zeichen und Handlungen, die die Taufhandlung umrahmen?

Orthodoxe Kirche	Äthiopisch-Orthodoxe Kirche in Deutschland	Armenische Kirche in Deutschland	Römisch-Katholische Kirche
Bereits vor der eigentlichen Tauffeier finden üblicherweise drei Gebete für den Täufling statt: – Gebet für eine Mutter am ersten Tag nach ihrer Entbindung (im Krankenhaus) – Namensgebung am achten Tag (zu Hause) – Gebet am 40. Tag (Einführung in die Kirche). Der Taufgottesdienst selbst wird durch den Abschluss des Katechumenats eingeleitet, der am Eingang der Kirche stattfindet. Er hat folgenden feststehenden Aufbau: – Gebet zur Aufnahme eines Katechumenen – Drei Exorzismen – Vierter Exorzismus mit Anhauchen des Täuflings – Absage an das Böse – Vereinigung mit Christus: Glaubensbekenntnis – Gebet – Salbung mit Chrisamöl (Es finden zwei Salbungen statt: vor der Taufhandlung mit dem sog. „Katechumenenöl" und danach die Salbung mit dem hl. Myron [Chrisam]. Letztere entspricht dem Sakrament der Firmung in der Westkirche). – Übergabe des Taufkleides	Die reiche Liturgie der Äthiopisch-Orthodoxen Kirche kennt viele ausdeutende Zeichen und Handlungen, die die Taufhandlung umrahmen (vgl. auch 3.1). Die aufgeführten Riten und Bräuche gibt es mit Ausnahme des Taufspruchs, der nicht gebräuchlich ist, und des Entzündens der Taufkerze an der Osterkerze. In vielen Liturgien wird an die Heiligmachung durch die Taufe erinnert. Zu berücksichtigen ist, dass in Deutschland praktisch immer nur eine Kurzfassung der reichen Liturgie gefeiert wird. Durch den Reichtum der geheiligten Riten hat der vollziehende Priester große Möglichkeiten, einen zu den Umständen passenden und der Heiligkeit der Taufe angemessenen Rahmen für den Vollzug zu finden. – Salbung mit Chrisamöl – Übergabe des Taufkleides – Symbolische Öffnung von Ohren und Mund zum Hinhören und Bekennen des Wortes Gottes – Gebet – Segen.	– Salbung mit Chrisamöl (der Täufling wird mit Myron gesalbt) – Übergabe des Taufkleides – Entzünden der Taufkerze an der Osterkerze (Es werden zwei Kerzen entzündet, aber den Brauch einer Osterkerze kennt die armenische Kirche nicht. Es ist üblich, dass man diese Kerzen auch nach der Taufe aufbewahrt und viele Jahre später bei der Trauung des Täuflings wiederverwendet). – Symbolische Öffnung von Ohren und Mund zum Hinhören und Bekennen des Wortes Gottes (Symbolische Salbung von allen Sinnesorganen samt Händen, Füßen, Herz und Rücken. Die Ohren und der Mund werden gesalbt zum „Hinhören des göttlichen Gebotes" – Gebet – Segen.	Ja: – Salbung mit Chrisamöl – Übergabe des Taufkleides (Sie geschieht unmittelbar nach der eigentlichen Taufhandlung.) – Entzünden der Taufkerze an der Osterkerze – Symbolische Öffnung von Ohren und Mund zum Hinhören und Bekennen des Wortes Gottes – Gebet – Segen. **Orthodoxe Kirche** – Entzünden der Taufkerze – Symbolische Öffnung von Ohren und Mund zum Hinhören und Bekennen des Wortes Gottes (Bei der „Katechumenensalbung" werden u. a. die Ohren mit den Worten „Zum Hören des Glaubens" und häufig auch der Mund mit den Worten gesalbt). – Gebet – Segen.

Anglikanische Kirche	Alt-Katholische Kirche	Evangelische Kirche im Rheinland (uniert)/ Evangelische Kirche von Westfalen (uniert)	Lippische Landeskirche (reformiert)
– Salbung mit Chrisamöl – Entzünden der Taufkerze an der Osterkerze – Gebet – Segen.	– Salbung mit Chrisamöl – Übergabe des Taufkleides – Entzünden der Taufkerze an der Osterkerze – Symbolische Öffnung von Ohren und Mund zum Hinhören und Bekennen des Wortes Gottes (ad libitum, d. h. nach Belieben) – Gebet – Segen.	Die Sinnzeichen bei der Feier der Taufe sind fakultativ. Hierzu bietet das Taufbuch mehrere Möglichkeiten an, die je nach Bekenntnisstand der Gemeinde und dem Alter des Täuflings entsprechend genutzt werden können: – Bezeichnung mit dem Kreuz oder Übergabe eines umzuhängenden Kreuzes als Hinweis auf den Herrschaftswechsel. – Dies kann mit der Salbung verbunden werden, die erinnert an die besondere Beziehung der Getauften zu Christus, dem Gesalbten, und lenkt zugleich den Blick auf die Ausrüstung mit der Kraft Gottes für das irdische Leben. – Übergabe einer Taufkerze in Erinnerung an die ntl. Bildworte über die Taufe. – Überziehen eines Taufgewandes als Symbol für das Überkleidetwerden mit dem Wesen Christi.	– Entzünden der Taufkerze an der Osterkerze (Bei lutherischen Gemeinden immer, bei reformierten gelegentlich) – Gebet – Segen (bei lutherischen Gemeinden im direkten Anschluss an die Taufe: Familiensegnung des Täuflings, seiner Eltern und Geschwister).

Evangelisch-methodistische Kirche	Bund Evangelisch-Freikirchlicher Gemeinden (Baptisten)	Bund Freier evangelischer Gemeinden	Mülheimer Verband freikirchlich-evangelischer Gemeinden
4. Hinführende und ausdeutende Zeichen und Handlungen			
4.1 Gibt es hinführende und ausdeutende Zeichen und Handlungen, die die Taufhandlung umrahmen?			
– Entzünden der Taufkerze an der Osterkerze (nicht Bestandteil der Liturgie, aber mancherorts Praxis). – Gebet – Segen.	Die Täuflinge haben oft ein besonderes, weißes Taufgewand an, das ihnen im Vorfeld des Taufgottesdienstes übergeben wurde. Die Taufpartner führen „ihren" Täufling an das Taufbecken. Die Täuflinge sprechen vor der Taufe öffentlich eine Willensentscheidung zur Nachfolge Christi und der Gemeinschaft in der Gemeinde aus (ein vorformulierter Satz, der mit Ja beantwortet wird). Familienangehörige, Freunde und Mitglieder der Gemeinde überreichen nach dem Taufgottesdienst kleine Geschenke (Blumen, Buch) und sprechen Segenswünsche aus. – Gebet – Segen.	Vor dem Taufgottesdienst erhalten die Täuflinge oft ein weißes Taufgewand. (In vielen Gemeinden) Einzug der Täuflinge mit dem Täufer. Persönliches, zeugnishaftes Wort des Täuflings; Fürbitte; (selten) Segen. Außerdem Gebet (auf verschiedene Weise: freie Gebete, Gebetsgemeinschaft, formulierte Gebete etc.).	– Gebet – Segen.

Selbstständige Evangelisch-Lutherische Kirche	Herrnhuter Brüdergemeine	Mennonitengemeinde Krefeld
– Übergabe des Taufkleides (möglich) – Entzünden der Taufkerze an der Osterkerze (möglich) – Gebet – Segen.	Außer der katechetischen Liturgie und der eigentlichen Taufhandlung keine. – Übergabe des Taufkleides (normalerweise bleibt der Täufling bis zur eigentlichen Taufhandlung in der Sakristei in der Obhut einer Schwester; dort kann ihm ein Taufkleid angezogen werden) – Gebet (vor der Taufe) – Segen (nach Zuspruch des neuen Lebens in Christus über Eltern und Kind bzw. über dem Täufling).	Ja, u. a.: Verlesen des Taufspruches, Fürbitten für die neuen Gemeindeglieder, Begrüßung der Getauften per Ansprache und Handschlag durch ein Leitungsmitglied der Gemeinde, Segensgebet.

Orthodoxe Kirche	Äthiopisch-Orthodoxe Kirche in Deutschland	Armenische Kirche in Deutschland	Römisch-Katholische Kirche
4.2 Begrüßung der Taufbewerber/innen und ihrer Familien			
Ist nicht üblich.	Ja.	Nein.	Ja.
4.3 Bitte um die Taufe von den Taufbewerbern/innen bzw. deren Eltern			
Nein.	Ja.	Bitte um die Taufe von erwachsenen Taufbewerbern bzw. der Eltern und des Paten.	Bei der Taufe von Kleinkindern wird der Taufwille der Eltern geklärt, bei der Taufe Erwachsener erklären diese selbst ihr Taufbegehren.
4.4 Erfragung des Namens der Taufbewerber/innen			
Nein. Früher war es das Privileg des Paten, den Namen des Kindes zu bestimmen und im Gottesdienst erstmals zu nennen.	Ja.	Ja.	Ja.

Anglikanische Kirche	Alt-Katholische Kirche	Evangelische Kirche im Rheinland (uniert)/ Evangelische Kirche von Westfalen (uniert)	Lippische Landeskirche (reformiert)
Ja.	Ja.	Ja.	Ja.
Ja.	Ja.	Bei der Taufe von Erwachsenen wird deren Taufwille erfragt, ebenso bereits bei älteren Kindern. Bei der Taufe von Säuglingen und Kleinkindern werden die Eltern und Paten befragt.	Nein.
Ja.	Ja.	Die Nennung des Namens bzw. die Frage nach dem Namen ist nur noch fakultativer Bestandteil der Tauffeier für ein Kleinkind bzw. einen Säugling.	Verschieden.

Evangelisch-methodistische Kirche	Bund Evangelisch-Freikirchlicher Gemeinden (Baptisten)	Bund Freier evangelischer Gemeinden	Mülheimer Verband freikirchlich-evangelischer Gemeinden

4.2 Begrüßung der Taufbewerber/innen und ihrer Familien

Ja.	Täuflinge und Familienangehörige werden im Gottesdienst offiziell begrüßt.	Meist trifft sich der Täufer vor dem Gottesdienst zu Vorbereitung und Gebet mit den Täuflingen und den am Gottesdienst Beteiligten.	Ja.

4.3 Bitte um die Taufe von den Taufbewerbern/innen bzw. deren Eltern

Nein.	Nein.	Nicht direkt. Indirekt wird im persönlichen Wort des Täuflings der Wunsch zur Taufe und die persönliche Bedeutung der Taufe deutlich; ebenso in der Bejahung der Tauf(bekenntnis)frage.	Nein.

4.4 Erfragung des Namens der Taufbewerber/innen

Nein.	Nein.	Nein. Der Name wird in der Taufhandlung genannt bzw. „aufgerufen".	Nein.

Selbstständige Evangelisch-Lutherische Kirche	Herrnhuter Brüdergemeine	Mennonitengemeinde Krefeld
Ist nicht liturgisch geordnet; mancherorts üblich.	Formlos im Rahmen der Gemeindebegrüßung.	Im Taufgottesdienst werden die gerade Getauften von einem Mitglied des Leitungsgremiums per Ansprache und Handschlag als neue Mitglieder begrüßt.
Nein.	Nicht in der Versammlung.	Nein.
Möglich (bei der Kindertaufe).	Nein.	Nein.

Orthodoxe Kirche	Äthiopisch-Orthodoxe Kirche in Deutschland	Armenische Kirche in Deutschland	Römisch-Katholische Kirche

4.5 Bezeichnung mit dem Kreuzzeichen als Zeichen der Aufnahme in die christliche Kirche/Gemeinde

Orthodoxe Kirche	Äthiopisch-Orthodoxe Kirche in Deutschland	Armenische Kirche in Deutschland	Römisch-Katholische Kirche
Findet im „Gebet zur Aufnahme eines Katechumenen" statt (s. o. bei „Abschluss des Katechumenats").	Ja.	Die Salbung geschieht in der Form des Kreuzzeichens. Auch die Wasserweihe geschieht in der Form des Kreuzzeichens.	Ja.

4.6 Anrufung der Heiligen

Orthodoxe Kirche	Äthiopisch-Orthodoxe Kirche in Deutschland	Armenische Kirche in Deutschland	Römisch-Katholische Kirche
Die Erwähnung des Namenspatrons ist in der Entlassung (s. 3.1. unter „o") möglich; eine spezielle Anrufung der Heiligen findet nicht statt.	Ja.	Anrufung der Heiligen geschieht in den Fürbitten und in den Hymnen.	Ja.

4.7 Fürbitten

Orthodoxe Kirche	Äthiopisch-Orthodoxe Kirche in Deutschland	Armenische Kirche in Deutschland	Römisch-Katholische Kirche
Ja, bei der „Friedensektenie" und der „Ektenie für den Täufling und seinen Paten" (s. 3.1. unter „b" und „n").	Ja.	Ja, s. Taufordnung.	Ja. Die Fürbitten werden im Anschluss an Schriftlesung und Predigt unmittelbar nach der Anrufung der Heiligen und vor der Taufspendung gesprochen.

Anglikanische Kirche	Alt-Katholische Kirche	Evangelische Kirche im Rheinland (uniert)/ Evangelische Kirche von Westfalen (uniert)	Lippische Landeskirche (reformiert)
Ja.	Ja.	Die Bezeichnung mit dem Kreuzzeichen ist fakultativ und vom Bekenntnisstand der Gemeinde abhängig.	Nur bei lutherischen Gemeinden.
Nein.	Nein.	Nein.	Nein.
Ja.	Ja.	Ja: Das fürbittende Gebet wird gesprochen nach der Lesung des Taufbefehls in der Hinführung zur Taufverkündigung und dem Vollzug der Taufe.	Ja.

Evangelisch-methodistische Kirche	Bund Evangelisch-Freikirchlicher Gemeinden (Baptisten)	Bund Freier evangelischer Gemeinden	Mülheimer Verband freikirchlich-evangelischer Gemeinden
4.5 Bezeichnung mit dem Kreuzzeichen als Zeichen der Aufnahme in die christliche Kirche/Gemeinde			
Ja.	Selten.	Nein. Wo im Taufgottesdienst auch die Aufnahme in die Gemeinde vollzogen wird, geschieht dies integriert mit Bibelwort, Begrüßung, persönlichem Zeugnis und Fürbitte.	Nein.
4.6 Anrufung der Heiligen			
Nein.	Nein.	Nein.	Nein.
4.7 Fürbitten			
Ja.	Fürbitten der Gemeinde sind Bestandteil des Taufgottesdienstes.	Ja. Die Gemeinde übt Fürbitte für die Täuflinge (Gebetsgemeinschaft oder stellvertretende Fürbitte).	Ja.

Selbstständige Evangelisch-Lutherische Kirche	Herrnhuter Brüdergemeine	Mennonitengemeinde Krefeld
Kreuzzeichen in exorzistischem Kontext (Beginn der Taufliturgie bzw. Aufnahme in den Katechumenat) und zum Abschluss der Taufhandlung am Taufstein.	Nein.	Nein.
Nein.	Nein.	Nein.
Ja (im Rahmens des Schlussgebets).	Fürbitte für den Täufling vor der Taufe durch den Pfarrer.	Zum Taufgottesdienst gehört die Fürbitte für die neuen Mitglieder.

Orthodoxe Kirche	Äthiopisch-Orthodoxe Kirche in Deutschland	Armenische Kirche in Deutschland	Römisch-Katholische Kirche

4.8 Handauflegung und Gebet um die Gabe des Heiligen Geistes

Orthodoxe Kirche	Äthiopisch-Orthodoxe Kirche in Deutschland	Armenische Kirche in Deutschland	Römisch-Katholische Kirche
Ja. Die Handauflegung findet anlässlich der „Haarabschneidung" (s. 3.1. unter „m") statt, während das Gebet um die Gabe des Heiligen Geistes anlässlich der „Myronsalbung" geschieht (s. 3.1. unter „g").	Ja.	Während der Täufer das Gebet um die Gaben des Heiligen Geistes (ohne Handauflegung) spricht, hält er das Kreuz, das er in seiner Hand hat, auf dem Kopf des Täuflings.	Ja. Sie erfolgt unmittelbar nach dem Fürbittgebet vor der Salbung mit Katechumenenöl und dem Beginn der Taufspendung.

4.9 Taufwasserweihe

Orthodoxe Kirche	Äthiopisch-Orthodoxe Kirche in Deutschland	Armenische Kirche in Deutschland	Römisch-Katholische Kirche
Ja (s. 3.1. unter „d").	Ja.	Ja, s. Taufordnung.	Ja.

4.10 Taufspruch

Orthodoxe Kirche	Äthiopisch-Orthodoxe Kirche in Deutschland	Armenische Kirche in Deutschland	Römisch-Katholische Kirche
Nein.	Nein (ist nicht gebräuchlich).	Ja, s. Taufordnung.	Nein.

Anglikanische Kirche	Alt-Katholische Kirche	Evangelische Kirche im Rheinland (uniert)/ Evangelische Kirche von Westfalen (uniert)	Lippische Landeskirche (reformiert)
Gebet ja, keine Handauflegung.	Handauflegung und Gebet ja; Gebet um die Gabe des Heiligen Geistes: Nein.	Ja: Nach der Taufhandlung folgt das Taufvotum mit Handauflegung. Das Taufvotum kann z. B. folgende Fassung haben: „Der barmherzige Gott stärke dich durch seinen Heiligen Geist. Er erhalte dich in der Gemeinde Jesu Christi und bewahre dich zum ewigen Leben."	Nein.
Ja.	Ja („Taufwasssersegnung").	Nein.	Nein.
Nein.	Nein.	Ja.	Ja.

Evangelisch-methodistische Kirche	Bund Evangelisch-Freikirchlicher Gemeinden (Baptisten)	Bund Freier evangelischer Gemeinden	Mülheimer Verband freikirchlich-evangelischer Gemeinden
4.8 Handauflegung und Gebet um die Gabe des Heiligen Geistes			
Unter Handauflegung wird ein Segensspruch zugesprochen (in der Regel: 4. Mose 6,24–26 oder 2 Kor 13,13).	Handauflegung und Segnung geschieht im Anschluss an die Taufe bei der Begrüßung der Täuflinge als Mitglieder der Gemeinde.	Nein.	Ja.
4.9 Taufwasserweihe			
Nein.	Nein.	Nein.	Nein.
4.10 Taufspruch			
Ja.	Ein Taufspruch (Bibelvers) wird vor der Taufe genannt.	Ja. Der Getaufte erhält in der Regel einen Taufspruch (Bibelwort), der zur Taufhandlung oder danach verlesen wird (siehe 1.2 und 3.1).	Ja.

Selbstständige Evangelisch-Lutherische Kirche	Herrnhuter Brüdergemeine	Mennonitengemeinde Krefeld
Ja. Die Handlauflegung findet während des Vaterunsers vor der Taufe und zum postbaptismalen Segen unmittelbar nach dem Übergießen statt.	Handauflegung nach Taufe bei Segenswort (Wortlaut feststehend zum Leben in Christus, darin Bitte um die Gabe des Heiligen Geistes) durch Gemeinhelfer, Eltern und Paten.	Nein.
Nein.	Nein.	Nein.
Nicht liturgisch geordnet; mancherorts üblich.	Ja, meist Grundlage der Ansprache; wird am Ende der Taufliturgie erneut genannt.	Während der Taufhandlung wird der Taufspruch verlesen; meist ist er von den Getauften selbst ausgewählt.

Orthodoxe Kirche	Äthiopisch-Orthodoxe Kirche in Deutschland	Armenische Kirche in Deutschland	Römisch-Katholische Kirche

4.11 Gibt es Formen der Tauferinnerung oder Tauferneuerung? (Feier des Tauftages, Feier des Namenstages, Weihwasser, Erneuerungsversprechen in der Osternacht etc.)

Orthodoxe Kirche	Äthiopisch-Orthodoxe Kirche in Deutschland	Armenische Kirche in Deutschland	Römisch-Katholische Kirche
Nicht in der Form eines separaten Gottesdienstes. Allerdings enthält die Liturgie der orthodoxen Kirche zahlreiche implizite und explizite Bezüge zur Taufe. Jede Göttliche Liturgie (Eucharistiefeier) enthält die Fürbitte für die Katechumenen. Die liturgische Ordnung der österlichen Fastenzeit ist als solche eine umfassende Rekapitulation des Katechumenats. Das zeigt sich deutlich in der Lectio continua der alttestamentlichen Bücher Genesis, Sprüche Salomos und Isaias während der vierzigtägigen Fastenzeit und Exodus und Hiob während der Karwoche sowie in der Auswahl der neutestamentlichen Perikopen für die Samstage und Sonntage, die einzigen Tage, an denen während der Fastenzeit die heilige, ihrem Wesen nach stets österliche Eucharistie gefeiert wird. Von Mittfasten an umfasst die an den Mittwochen und Freitagen der Fastenzeit gefeierte Liturgie der Vorgeweihten Gaben neben der Katechumenenfürbitte auch die Fürbitte der „Photizomenen", derer also, die am bevorstehenden Osterfest getauft werden sollen.	In vielen Liturgien wird an die Heiligmachung durch die Taufe erinnert.	Eine Feier findet im Anschluss an die Taufe statt, um die christliche Neugeburt des Täuflings zu feiern. Der Namenstag spielt eine wichtige Rolle und wird auch in familiären Kreisen gefeiert, aber zumindest heute nicht im Sinne einer Tauferinnerung.	Die Erneuerung des Taufversprechens hat ihren liturgischen Platz vor allem in der Feier der Osternacht mit der Absage an das Böse und dem Glaubensbekenntnis. Die Bekreuzigung mit Weihwasser beim Betreten der Kirche gilt ebenfalls als persönliche Erinnerung an die Taufe. Der Ritus des „Asperges" zu Beginn des Hochamtes ist Ausdruck der Tauferinnerung und Erneuerung. Die Feier des Namenstages ist regional sehr unterschiedlich stark verbreitet. Sie verliert derzeit an Bedeutung. Die Feier der Erstkommunion ist Erneuerung und Fortführung der Taufe; ebenso der Empfang der Firmung.

Orthodoxe Kirche

Insbesondere ist die Liturgie des Großen und Heiligen Samstags mit ihren fünfzehn alttestamentlichen Taufperikopen die Liturgie der Neugetauften. Später, als die Zahl der Täuflinge zu groß wurde, wurden auch andere Festtage zu klassischen Tauftagen (s. 3.5). An diesen Tagen wird das Trishagion in der Göttlichen Liturgie durch den Hymnus „Die ihr in Christus getauft seid, habt Christus ange-	zogen. Alleluia" (Gal 3,27), den Hymnus, der in der alten Kirche die österliche Prozession der Neugetauften vom Baptisterium zur Kirche begleitete, ersetzt. Schließlich ist auch der persönliche Namenstag ein Taufgedächtnis, denn der in der Taufe empfangene Name des Heiligen ist eine beständige Erinnerung an das in der Taufe grundgelegte ewige Leben.

Anglikanische Kirche	Alt-Katholische Kirche	Evangelische Kirche im Rheinland (uniert)/ Evangelische Kirche von Westfalen (uniert)	Lippische Landeskirche (reformiert)
Ja. Erneuerung des Taufversprechens während der Feier der Osternacht und zu anderen wichtigen Kirchenfesten.	Die Erneuerung des Taufversprechens in der Form der Absage an das Böse und mit dem Anschließenden ist auch dann fester Bestandteil der Osternachtfeier, wenn keine Taufe stattfindet. In vielen Gemeinden hat das Bekreuzigen mit Wasser als stilles, persönliches Gedächtnis der eigenen Taufe einen festen Sitz im Leben, obwohl die Gründergeneration der alt-katholischen Bewegung diesem Brauch wegen der damals häufig damit verbundenen magischen Vorstellungen eher ablehnend gegenübergestanden hat. Die Feier des Tauftages ist kein Teil unserer Tradition. Die Feier des Namenstages richtet sich nach dem örtlichen Brauchtum.	Neben dem 6. Sonntag nach Trinitatis, an dem die Taufe und die Erinnerung an die in der Taufe erfahrene Gnade in besonderer Weise im Kirchenjahr bedacht werden, finden inzwischen vermehrt besondere Gottesdienste zum Taufgedächtnis und zur Tauferinnerung statt, zu denen z. B. die Täuflinge eines Kirchenjahres nach einigen Jahren wiedereingeladen werden können. Auch die Konfirmation, in der die Täuflinge selbst das Bekenntnis zu Christus erneuern, ist Taufgedächtnis.	Es ist die Aufgabe der Gemeinde, an die Taufe und ihre Bedeutung zu erinnern (Taufgedächtnis). Der Taufspruch kann diese Erinnerung für Christen ebenso wach halten wie die Feier des Taufdatums. Die Gemeinde erinnert an die Taufe in jedem Taufgottesdienst. Aber auch jeder Gemeindegottesdienst, der im Namen des dreieinigen Gottes gefeiert wird, ist Hinweis auf die Taufe.

Evangelisch-methodistische Kirche	Bund Evangelisch-Freikirchlicher Gemeinden (Baptisten)	Bund Freier evangelischer Gemeinden	Mülheimer Verband freikirchlich-evangelischer Gemeinden

4.11 Gibt es Formen der Tauferinnerung oder Tauferneuerung? (Feier des Tauftages, Feier des Namenstages, Weihwasser, Erneuerungsversprechen in der Osternacht etc.)

Evangelisch-methodistische Kirche	Bund Evangelisch-Freikirchlicher Gemeinden (Baptisten)	Bund Freier evangelischer Gemeinden	Mülheimer Verband freikirchlich-evangelischer Gemeinden
Ja, im Anschluss an die Taufhandlung des Täuflings gibt es die Möglichkeit für die, die ihr Taufversprechen erneuern wollen, nach vorne zu kommen, angesprochen zu werden und folgende Formel zu beantworten: „Wollt ihr diesen Bund erneuern und, soweit es an euch liegt, ihn in Hingabe und Dienst für Jesus Christus und seine Gemeinde halten und euch darin bewähren? So antwortet: Ja, Gott helfe uns." Danach kann eine Segnung unter Handauflegung erfolgen.	Keines der genannten Beispiele ist bei uns üblich. Ohne spezielle Formen kommt die Erinnerung an die Taufe insbesondere in einer Taufpredigt oder in einem persönlichen Zeugnis von Mitgliedern zum Ausdruck. Manche Gemeinden grüßen ihre Mitglieder zu Taufjubiläen (25, 40 oder 50 und mehr Jahre). In anderen Ländern, z.B. in dänischen Baptistengemeinden, wird statt zum Geburtstag zum Tauftag gratuliert.	Nein.	Nein.

Selbstständige Evangelisch-Lutherische Kirche	Herrnhuter Brüdergemeine	Mennonitengemeinde Krefeld
Bei der Konfirmation und in der Feier der Osternacht wird ausdrücklich das Taufbekenntnis gesprochen und an die Taufe erinnert. Die Feier des Tauftages ist mancherorts üblich.	Nicht institutionell.	Eine feste Form der Tauferinnerung gibt es bisher nicht. Die Taufe und das Taufbekenntnis spielen in der Gemeinde indes eine verhältnismäßig große Rolle, die Formel ist gut bekannt.

Verzeichnis der Mitarbeiter an der Taufsynopse und der Ansprechpartner der Mitgliedskirchen in der ACK-NRW

Mitarbeiter an der Taufsynopse

Orthodoxe Kirche	– Erzpriester Constantin Miron, Brühl
	– Erzpriester Peter Sonntag, Brühl
Äthiopisch-Orthodoxe Kirche in Deutschland	– Erzpriester Dr. Merawi Tebege, Köln
Armenische Kirche in Deutschland	– Bischof Karekin Bekdjian
Römisch-Katholische Kirche	– Dr. Michael Hardt, Johann-Adam-Möhler-Institut für Ökumenik, Paderborn
	– Dr. Michael Kappes, Münster
Anglikanische Kirche	– Archdeacon The Ven. David W. Ratcliff, Frankfurt a. M.
Alt-Katholische Kirche	– Pastor Lothar Hehn, Münster
Evangelische Kirche von Westfalen (uniert)	– Landeskirchenrat i. R. Helmut Weide, Bielefeld
	– Kirchenrätin Dr. Johanna Will-Armstrong, Bielefeld
Evangelische Kirche im Rheinland	– Landespfarrer Hans-Peter Friedrich, Düsseldorf
Lippische Landeskirche	– Landespfarrerin Dr. Gesine von Kloeden, Detmold
Evangelisch-methodistische Kirche	– Dr. Daniele Baglio, Wuppertal
Bund Evangelisch-Freikirchlicher Gemeinden (Baptisten)	– Pastor i. R. Heinz Szobries, Hagen
	– Pastor Bernd Densky, Köln
Bund Freier evangelischer Gemeinden	– Pastor Jens Mankel, Köln

Mülheimer Verband **Freikirchlich-evangelischer** **Gemeinden**	– Pastor Thomas Klappstein, Duisburg
Selbstständige **Evangelisch-Lutherische Kirche**	– Dr. Peter Söllner, Hagen
Herrnhuter **Brüdergemeine**	– Pfarrerin Katharina Rühe, Düsseldorf
Mennonitengemeinde **Krefeld**	– Pfarrer Christoph Wiebe, Krefeld

Ansprechpartner in den Mitgliedskirchen der ACK-NRW

Erzbistum Köln

Dr. Raimund Lülsdorff
Generalvikariat
Marzellenstr. 32
50668 Köln

Tel.: 02 21 / 16 42 16 42
Fax: 02 21 / 16 42 17 18
E-Mail: raimund.luelsdorff@erzbistum-koeln.de

Erzbistum Paderborn

Dr. Michael Hardt
Johann-Adam-Möhler-Institut für Ökumenik
Leostraße 19 a
33098 Paderborn

Tel.: 0 52 51 / 8 72 98 02
Fax: 0 52 51 / 28 02 10
E-Mail: fachstelle-oekumene@moehlerinstitut.de

Bistum Aachen

Dr. Herbert Hammans
Bischöfliches Generalvikariat Aachen
Postfach 10 03 11
52003 Aachen

Tel.: 02 41 / 45 23 48
Fax: 02 41 / 45 25 33
E-Mail: herbert.hammans@gv.bistum-aachen.de

Bistum Essen

Msgr. Dr. Gerd Lohaus
Bischöfliches Generalvikariat Essen
Zwölfling 16
45127 Essen

Tel.: 02 01 / 2 20 46 23
Fax: 02 01 / 2 20 43 83
E-Mail: Gerd.Lohaus@bistum-essen.de

Bistum Münster

Dr. Michael Kappes
Fachstelle Ökumene
Domplatz 27
48143 Münster

Tel.: 02 51 / 4 95–2 69
Fax: 02 51 / 4 95–61 59
E-Mail: Mkappes@bistum-muenster.de

Evangelische Kirche von Westfalen

Kirchenrätin
Dr. Johanna Will-Armstrong
Altstädter Kirchplatz 5
33602 Bielefeld

Tel.: 05 21 / 59 41 56
Fax: 05 21 / 59 43 66
E-Mail: johanna.will-armstrong@lka.ekvw.de

Evangelische Kirche im Rheinland

Landespfarrer
Hans-Peter Friedrich
Hans-Böckler-Str. 7
40476 Düsseldorf

Tel.: 02 11 / 4 56 21
E-Mail: Hans-Peter.Friedrich@ekir-lka.de

Lippische Landeskirche

Landespfarrerin
Dr. Gesine von Kloeden
Leopoldstr. 27
32756 Detmold

Tel.: 0 52 31 / 9 76 60
Fax: 0 52 31 / 97 68 50
E-Mail: LKA@Lippische-Landeskirche.de

Bund Evangelisch-Freikirchlicher Gemeinden (Baptisten)

Pastor
Bernd Densky
Leuchterstraße 40
51069 Köln

Tel.: 02 21 / 60 13 46
Fax: 02 21 / 3 99 74 99
E-Mail: densky@netcologne.de

Mennonitengemeinschaft Krefeld

Pfarrer
Christoph Wiebe
Königstraße 132
47798 Krefeld

Tel.: 0 21 51 / 2 07 65
Fax: 0 21 51 / 61 47 83
E-Mail: cw@mennoniten-kr.de

Die Heilsarmee

Kapitän
Bernd Friedrichs
Die Heilsarmee, Korps Herne
Koppenbergs Hof 2
44623 Herne

Tel.: 0 23 23 / 45 00 93
Fax: 0 23 23 / 45 10 56

Bund Freier evangelischer Gemeinden (Gaststatus)

Pastor
Jens Mankel
Regentenstraße 78–80
51063 Köln

Tel.: 02 21 / 6 40 36 84
Fax: 02 21 / 6 40 36 94
E-Mail: jens@mankel.de

Religiöse Gesellschaft der Freunde (Gaststatus)

Annette Fricke
Heckenweg 12
44534 Lünen

Tel. u. Fax: 0 23 06 / 5 02 16

Griechisch-Orthodoxe Metropolie von Deutschland

Erzpriester
Peter Sonntag
Römerstraße 440 d
50321 Brühl

Tel.: 02 28 / 46 20 41
Fax: 0 22 32 / 20 06 38
E-Mail: orthodoxe_parochie@yahoo.de

Serbisch-Orthodoxe Kirche

Priester
Danilo Radmilovic
Adamsstraße 49
51063 Köln

Tel. und Fax: 02 21 / 61 80 09

Russisch-Orthodoxe Kirche in Deutschland

Ipodiakon
Dipl. theol. Nikolaj Thon
Kommission der Orthodoxen Kirchen in Deutschland
-Verband der Diözesen-
Splintstraße 6 a
44139 Dortmund

Tel.:   02 31 / 1 89 97 95
Fax: 02 31 / 1 89 97 96
E-Mail: orthodoxe-kirche@web.de

Russisch-Orthodoxe Kirche außer Landes

Erzpriester
Dr. Ambrosius Backhaus
Schwanenwik 31
22087 Hamburg

Tel. und Fax: 0 40 / 22 23 06

Ukrainisch-Orthodoxe Kirche (Ökumenisches Patriarchat)

Erzpriester
Anfir Ostaptschuk
Höffenstraße 34
51469 Bergisch Gladbach

Tel. und Fax: 0 22 02 / 5 27 52

Anglikanische Kirche

Rev. Ian Wright
St. Boniface
Haus Steinbach
Rüdigerstraße
53179 Bonn

E-Mail: friansse@talk21.com
info@anglicanbonncologne.de

Alt-Katholische Kirche

Geistlicher Rat
Lothar Hehn
Sunderkamp 3 a
48165 Münster

Tel.: 0 25 01 / 32 77

Evangelisch-methodistische Kirche

Dr. Daniele Baglio
Eintrachtstraße 45
42275 Wuppertal

Tel.: 02 02 / 55 63 19
Fax: 02 02 / 2 54 28 64
E-Mail: DBaglio@aol.com

Herrnhuter Brüdergemeine

Pfarrerin
Katharina Rühe
Gustorfer Straße 22
40549 Düsseldorf

Tel.: 02 11 / 5 62 46 56
Fax: 02 11 / 5 62 46 57
E-Mail: herrnhuter.bruedergemeine.nrw@t-online.de

Selbstständige Evangelisch-Lutherische Kirche

Dr. Peter Söllner
Karl-Haller-Straße 8
58097 Hagen

Tel.: 0 23 31 / 8 15 63
Fax: 0 23 31 / 48 83 82
E-Mail: Hagen@selk.de